九年义务教育六年制小学试用课本

语 文

YǓ WÉN

第 七 册

四年级＿＿＿＿＿班

姓名＿＿＿＿＿＿＿

(京)新登字113号

九年义务教育六年制小学试用课本

语 文

第七册

人民教育出版社小学语文室　编著

*

人民教育出版社出版
辽宁省教材出版公司重印
辽宁省新华书店发行
辽宁时报新华印刷业有限公司印装

*

开本 880×1230 1/32 印张 5.25 字数 95,000
1995 年 10 月第 1 版　1996 年 5 月第 1 次印刷
印数 1—360,460(96 秋)
ISBN 7-107-11512-X
G·4622(课)定价 7.00 元

顾　　问　　吕叔湘　　叶至善

主　　编　　崔峦　　蒯福棣

编 写 者　　崔峦　　蒯福棣　　陈先云

　　　　　　徐轶　　王玮

责任编辑　　崔峦

审　　定　　黄光硕

目 录

带 * 的是阅读课文

第 一 组

导读

　　本组有四篇 (piān) 课文。《"绿色的办公室"》《三味书屋》是看图学文,《珍贵的教科书》是讲读课文,《爸爸和书》是阅读课文。从这些课文中我们可以了解到,在艰苦的环境里,革命领袖和先辈 (bèi) 们是怎样顽强地工作和勤奋地学习的。

　　学习本组课文,要继续培(péi)养观察能力和理解能力。学习看图学文,要把观察图画和理解课文结合起来;学习其他课文,要在理解词语和句子的基础上,读懂每个自然段,理解课文内容。

1 "绿色的办公室"

预习

《"绿色的办公室"》生动地描述(shù)了革命导师列宁在极其艰苦的条件下,是怎样坚持革命工作的。预习课文,先仔细观察图画,看看列宁正在做什么,周围的环境是怎样的;再读读课文,自学生字词,并想一想,课文是怎样介(jiè)绍(shào)"绿色的办公室"的。

1917年十月革命以前,有好几个月,列宁化装成割草工人,隐蔽(bì)在圣(shèng)彼(bǐ)得堡(bǎo)西北的拉兹(zī)里夫湖畔(pàn)。

湖边的树林是列宁的"绿色的办公室"。屋顶是蔚(wèi)蓝的天空,地板是碧绿的草地,一截树桩(zhuāng)是列宁办公的椅子。树桩后面有个"人"字形草棚,草盖得厚厚的,只容得下一个人躺在里面。那是列宁的卧

本文是根据冰心的《像真理一样朴素的湖》改写的。

室。草棚的一头堆着高高的草垛(duò)。那是列宁，这位"割草工人"的劳动成果。对着草棚，两根树杈(chà)支着的横木吊着一口用旧了的锅，旁边放着一把黑铁水壶(hú)。那是列宁的厨(chú)房。

天亮了。"绿色的办公室"沐(mù)浴(yù)在柔和的晨光中，列宁已经坐在树桩上开始了一天的工作。他埋着头，双膝托着文件夹(jiā)，笔尖在稿(gǎo)纸上沙沙地画着。身旁的草地上放着几页已经写好的稿子。不远的地方，篝(gōu)火还在燃烧，锅里的早餐(cān)散发出一阵阵香气。列宁全神贯(guàn)注地工作，忘记了周围的一切。

在这个最简陋(lòu)的"办公室"里，列宁写出了伟大的著作《国家与(yǔ)革命》，拟(nǐ)订(dìng)了许多重要文件，有力地指导着俄(é)国革命。

bì	bǎo	zhuāng	hú	chú	mù	yù
蔽	堡	桩	壶	厨	沐	浴

jiā	gǎo	cān	guàn	yǔ	dìng	é
夹	稿	餐	贯	与	订	俄

思考·练习

1 仔细看图,读课文,再回答问题。

    (1) 列宁的"绿色的办公室"在哪里?说说这个
       "办公室"的屋顶、地板、椅子以及卧室、厨
       房都是什么样子的。

    (2) 列宁在这个"办公室"里是怎样开始一天的
       工作的? 说说第三自然段哪些话能从图上
       看出来,哪些话是根据图画想象出来的。

2 课文的第二自然段可以分成几层?每层讲的是什
  么?这个自然段的主要意思是什么?

3 读读写写,并用带点的词语造句。

  隐蔽　　树桩　　水壶　　厨房　　文件夹

  沐浴　　早餐　　俄国　　稿纸　　全神贯注

4 朗读课文。背诵第二、三自然段。

2 三味书屋

三味书屋是我国伟大的文学家鲁(lǔ)迅小时候上学读书的地方,课文主要讲了书屋是什么样的和鲁迅在这里读书曾(céng)经发生过一件怎样难忘的事。先看看图画,再读读课文,在头脑中浮现三味书屋的画面,并想想每个自然段主要讲的是什么。

三味书屋从前是一个书塾(shú),鲁(lǔ)迅小时候在那里读过书,现在是绍(shào)兴鲁迅纪念馆的一部分。

书屋的北墙正中挂着一幅画,画着一棵古松,底下卧着一只梅花鹿。画前面是先生的座位,一张八仙桌,一把高背椅子,桌子上照从前的样子,放着笔墨纸砚(yàn)和一把戒(jiè)尺。学生的书桌是从自己家里搬来的,分列在四面,鲁迅的那一张在东北角上。当年鲁迅就在那里读书、习字,有时还画画,把纸蒙在《西游记》一类的小说上描绣像。

鲁迅的书桌上刻着一个小小的"早"字。字横着，很像一个还没开放的花骨朵，又像一支小小的火把。这个"早"字有一段来历。鲁迅的父亲害了病，鲁迅一面上书塾读书，一面帮着母亲料理家务，几 [jǐ] 乎天天奔走于当铺 [pù] 和药铺之间，把家里的东西拿到当铺去换了钱，再到药铺去给父亲买药。有一天早晨，鲁迅上学迟到了。教书认真的寿(shòu)镜吾老先生严厉地对他说："以后要早到！"鲁迅默默地回到座位上，就在那张旧书桌上刻了个"早"字，也把一个坚定的信念深深地刻在心里。从那以后，鲁迅上学再没有迟到过，而且时时早，事事早，毫(háo)不松弛(chí)地奋斗了一生。

shú	lǔ	shào	yàn	jiè	shòu	háo	chí
塾	鲁	绍	砚	戒	寿	毫	弛

思考·练习

1 仔细看图，读课文，再回答问题。

 (1) 按照由中间到四周的顺序，说说三味书屋里是什么样的。

 (2) 鲁迅在受到寿老先生的批评后，是怎么想的，怎么做的?这件事对他一生有什么影响?

2 第三自然段有几层意思，每层说的是什么?整段主要说的是什么?

3 读句子，回答括号里的问题。

 (1) 鲁迅几乎天天奔走于当铺和药铺之间。("奔走"是什么意思?"几乎天天奔走于当铺和药铺之间"说明了什么?)

 (2) 鲁迅在那张旧书桌上刻了个"早"字，也把一个坚定的信念深深地刻在心里。(鲁迅为什么要刻个"早"字? 这个"坚定的信念"指的是什么?)

4 读读写写，并结合课文理解带点的词语。

书塾 鲁迅 绍兴 戒尺 当铺 笔墨纸砚
来历 料理 严厉 信念 奋斗 毫不松弛

5 朗读课文。背诵第三自然段。

3 珍贵的教科书

预习

新学期开学，当你拿到崭(zhǎn)新的教科书的时候，你感到它的珍贵吗?在战争年代里，同学们做梦都想得到一本教科书。读读这篇课文，你一定会更加珍爱手中的教科书，一定会更加珍惜今天的幸福生活。读的时候，要读准字音，通过查字典和联系上下文理解词语。

1947年春天，我们延安小学转移(yí)到一个小山村里。在那炮火连天的战争环境中，我们仍然坚持(chí)学习。没有桌椅，就坐在地上，把小板凳当桌子；没有黑板，就用锅烟灰在墙上刷(shuā)一块；没有粉笔，就拿黄土块代替。最困难的是没有书，我们只

这篇课文的作者是高鑫、林阿绵，原作题目为《一捆教科书》，选作课文时有改动。

能抄(chāo)一课学一课。

我们多么渴望每人都能有一本教科书啊！一天下午，老师张指导员兴高采烈地对我们说："告诉大家一个好消息，咱们有书啦！"真是个振奋人心的消息，我们都高兴得跳起来。

指导员接着说："同学们知道书是怎么来的吗？是在毛主席的关怀下印(yìn)出来的！印书用的纸，是党中央从印文件用的纸里节省出来的！"

在同学们的欢呼声中，我亮开嗓(sǎng)门喊起来："快把书发给我们吧！"

"书还在印刷所呢！"指导员微笑着说，"因为情况紧急，印刷所准备转移，所以今天必须(xū)有一个人和我一块儿把书取回来。"

"我去！""我去！"同学们争先恐后地喊。最后决定让我跟指导员去印刷所取书。

书领到了。我和指导员每人背上一捆，高兴地跨着大步往回走，恨(hèn)不得一步赶回村子，把书发给同学们。

正在这个时候，三架敌机从东北方向飞来，在村子上空盘旋着，嘶(sī)叫着。突然一架敌机呼啸(xiào)着向我们这边飞来，一个俯(fǔ)冲，投下了一颗炸弹(dàn)。

"快卧倒……"指导员刚喊出口，轰(hōng)隆(lóng)一声，炸弹在我们身边爆(bào)炸了。我两耳一阵轰鸣，就什么也不知道了……等我醒来，才发觉自己头部受了伤。指导员趴在离我不远的地方，一动也不动。那捆书完整无缺地压在他的身子下面，被鲜血染红了。

我扑到指导员身上大声喊："指导员，指导员……"喊了好半天，指导员才微微睁(zhēng)开眼睛，嘴里叨(dāo)念着："书……书……"我扶他坐起来，激动地说："指导员，书都在这儿。走，我背你回村。"他轻轻地摇了摇头，两眼望着那捆书，用微弱(ruò)的声音说："你们要……好好学习……将来……"

　　多少年来，那捆用生命换来的教科书和指导员没有说完的话，一直激励着我前进。

yí	chí	shuā	chāo	yìn	sǎng	xū
移	持	刷	抄	印	嗓	须
hèn	dàn	hōng	lóng	bào	zhēng	ruò
恨	弹	轰	隆	爆	睁	弱

思考·练习

1 默读课文，回答问题。

(1) 在战争环境中，同学们的学习条件非常艰苦，从哪些地方可以看出来？

(2) 是什么消息那样振奋人心？

(3) 张指导员是怎样用生命保护教科书的？

(4) 为什么说张指导员和"我"取回的教科书，是珍贵的教科书？

2 说说课文中哪些自然段是讲下面的内容的。

(1) 在战争环境中，"我们"渴望得到印好的教科书。

(2) 情况紧急，"我"和张指导员需要立刻去印刷所取书。

(3) 在回村的路上，张指导员用生命保护教科书。

(4) 教科书和张指导员牺牲前说的话，一直激励着"我"前进。

3 读读写写，并用带点的词语造句。

坚持 印刷 嗓门 转移 睁开 恨不得

必须 炸弹 爆炸 轰隆 微弱 争先恐后

4 有感情地朗读课文。

4* 爸爸和书

预习

生活再苦，也要想办法买书、读书，这是因为父亲希望子女成为热爱学习的人，从学习中获(huò)取知识，得到乐趣。读一读课文，要读准字音，画出不理解的词语和句子，以便课上和同学讨论。

我和姐姐有个书架，书架上整齐地排列着一百来本书，有童话，有历史故事，还有关于作文的。其中有一本薄薄的童话集，叫《皇(huáng)帝(dì)的悲哀(āi)》。

小伙伴常常来我们这儿借书，从来没有谁翻过这本《皇帝的悲哀》，因为它太破旧了。但是对我来说，这本书却比任何一本都要珍贵。只要一翻开这本书，当年买书的情景就清晰(xī)地浮现在我眼前。

那时候我还小，爸爸所在的那家公司倒闭了。爸爸只好去做临时工，妈妈也要出去干零活。爸爸天天带着我，他干活，我就在一边玩。

有一天下班回家，经过一家旧书店(diàn)，爸爸突然停住了脚步，对我说："给你买本书吧!"我听了高兴极了。

"不过，给你买一本书，今天就不能乘汽车回家了。你愿意走路，就给你买。"

"好，咱们走回去!"我说。

爸爸走进旧书店，从一堆书里给我挑了这本《皇帝的悲哀》。尽管这本书很薄很薄，我捧着它还是像捧着一件珍宝似 [shì] 的。

我跟着爸爸往回走。路真远啊!我有些走不动了，爸爸把我背了起来。过荒(huāng)山大桥时，寒风呼啸，我冷得直发抖。爸爸问我："怎么样，乘汽车比买书强吧?"

我紧紧地伏在爸爸的背上，忍(rěn)受着刺骨的寒冷，大声说："不，买书比坐汽车强!"

爸爸点了点头，用他的上衣把我裹(guǒ)得严严实实的。

　　"走这么长的路是很累的。但是，不这
样做的话，爸爸就没法给你买这本书了！"

　　我仿佛觉得爸爸是含(hán)着热泪在说这
番(fān)话的。

　　那时我还没上学，老缠(chán)着爸爸，让
他一遍又一遍地给我念这本薄薄的童话集。
大概(gài)念了好几十遍吧，听着爸爸念书，
我渐渐地懂得了读书的乐趣。

　　后来，爸爸病了，我们的生活更苦了。
可是，爸爸的精神一直很好，只要有点儿钱，
就一定会给姐姐和我买书看。每一回买了书

回来，他总要对我们说："从明天起，咱们又得节衣缩食啦！"说着笑了起来。

"节衣缩食，省吃俭用！"我们异口同声地说，和爸爸一同开心地笑起来。

我和姐姐的一百来本书，全是爸爸这样省吃俭用买来的。他一心希望我们成为热爱学习的人。

思考·练习

1　阅读课文，回答问题。

(1) 爸爸是在怎样的情况下给"我"买《皇帝的悲哀》这本书的？

(2) 为什么"我"冷得直发抖，还大声说买书比坐汽车强？

(3) 爸爸含着热泪说了哪些话？说说这些话的意思。

2　你觉得读书有乐趣吗？有哪些乐趣？

3　课文中哪几个自然段是讲爸爸给我买《皇帝的悲哀》这本书的经过的？

基础训练 1

字·词·句

一 读一读，注意带点字的拼音。

nǔ lì	dào lù	shū běn	jué dìng
努 力	道 路	书 本	决 定

nǚ ér	bì lù	xū yào	shěng lüè
女 儿	碧 绿	需 要	省 略

二 用音序查字法查出下面带点的字，并在正确解
释后面的括号里画 √。

顿时 ①略停（ ） ②立刻（ ）
③处理、安排（ ）。

无端 ①端正（ ） ②东西的一头（ ）
③原因（ ）。

照例 ①照射（ ） ②拍摄（ ）
③依着、按照（ ） ④对着（ ）。

三 读句子，注意带点的词。

1 他把这个坚定的信念深深刻在心里。

2 张指导员兴高采烈地对我们说："告诉大家
一个好消息，咱们有书啦！"

3 小华问妈妈:"您带我去哪儿?"妈妈指着不
  远处的公园,说:"去那儿。"

四 仿照例子,写句子。

  例:你收拾一下房间吧!

    你把房间收拾一下吧!

1 他紧紧地握住老人的双手。

2 爸爸准确地读出一连串英语单词。

  例:太阳晒干了地上的水。

    地上的水被太阳晒干了。

1 困难没有吓倒他。

2 大家扶着他,一步步走上山来。

听话·说话

  从最近收听的少年儿童广播节目中,选一个印
象比较深的讲给同学听,讲之前,先想好要讲的内
容和顺序(xù);讲的时候,努力做到语句通顺、连
贯。

认真阅读下面的短文，想想国旗班的战士为了掌握升旗时间，付(fù)出了怎样的劳动；说说每个自然段主要说的是什么。

两分零七秒，是天安门广场的国旗从地面升到杆 [gān] 顶所用的时间。你可知道，为了这两分零七秒，国旗班的战士付出了什么样的劳动？

天安门广场的国旗必须和太阳一同升起。但是每天太阳出来的时间不一样，怎样掌握升旗的时间呢？国旗班从天文台得到了一年 365 天太阳升、落时间表。他们根据这个时间表，确定每月上、中、下旬(xún)的升旗时间。盛夏酷暑，前半夜很难入睡，后半夜刚刚有些蒙(méng)眬(lóng)，就得起身整装，因为 4 点 33 分太阳在地平线露头，国旗得同时升上旗杆顶。遇到阴雨天气见不到太阳，国旗也依然按日出时间高高地升起。你可以想象，国旗班的战士是多么辛苦！

每天清晨，随着升旗电钮(niǔ)的按动，升旗战士昂(áng)首并踵(zhǒng)，挺胸收腹，向冉(rǎn)冉

上升的五星红旗行注目礼。他们威武雄壮的形象给庄严的时刻增添了光彩。

 作文

一　按照日记的格式，写一篇日记。

二　回忆一下暑假生活，从中选(xuǎn)择(zé)一件有趣的事，比如参观、游览(lǎn)、钓鱼、游泳、回乡探亲、参加夏令营(yíng)活动等，先把这件事的开始、经过、结果想一想，说一说，再写下来，写得具体些，语句要通顺、连贯。

第 二 组

导读

　　本组安排了四篇课文。讲读课文有《黄继光》《小珊(shān)迪(dí)》《劳动最有滋(zī)味》，阅读课文有《种子》。这些课文通过感人的事，歌颂(sòng)了文中人物的崇(chóng)高精神和美好的心灵。

　　学习本组课文，要在读懂每个自然段、初步了解课文内容的基础上，着重练习给课文分段，深入地理解课文；从中学习课文里人物的献身精神和诚实善良、热爱劳动等优秀品质(zhì)。

5　黄　继　光

预习

上甘岭战役(yì)是抗美援(yuán)朝战争中的一次重要战役。在这次艰巨的战役中，中国人民志愿军涌现出许多英雄，黄继光就是其中的一个。读读课文，你一定会被他的英雄气概(gài)和献身精神所感动。读的时候，要理解不懂的词语，看看课文有多少个自然段，哪几个自然段联系比较紧密。

1952年10月，上甘岭战役(yì)打响了。这是朝[cháo]鲜[xiǎn]战场上最激烈的一次阵地战。

黄继光所在的营(yíng)已经持续战斗了四天四夜；第五天夜晚接到上级的命令，要在黎(lí)明之前夺下敌人的597.9高地。

进攻开始了，大炮在轰鸣。战士们占领了一个又一个山头，就要到达597.9高地的主峰了。突然，敌人一个火力点凶猛地射击起来。战士们屡(lǚ)次突击，都被比雨点还密的枪弹压了回来。

东方升起了启(qǐ)明星，指导员看看表，已经四点多了。如果不很快摧(cuī)毁这个火力点，在黎明前就攻不下597.9高地的主峰，已经夺得的那些山头就会全部丢失。

黄继光愤怒地注视着敌人的火力点，他转过身来坚定地对指导员说："指导员，请把这个任务交给我吧！"指导员紧握着黄继光的手，说："好，我相信你一定能完成这个光荣而艰巨的任务。"

黄继光带上两个战士，拿了手雷，喊了一声："让祖国人民听我们胜利的消息吧！"向敌人的火力点爬去。

敌人发现他们了。无数照明弹升上天空，黑夜变成了白天。炮弹在他们周围爆炸。他们冒着浓烟，冒着烈火，匍(pú)匐(fú)前进。一个战士牺牲了，另一个战士也负(fù)伤了。摧毁火力点的重任落在了黄继光一个人的肩上。

图·张洪赞

火力点里的敌人把机枪对准黄继光，子弹像冰雹一样射过来。黄继光肩上腿上都负了伤。他用尽全身的力气，更加顽强地向前爬，还有20米，10米……近了，更近了。

　　啊！黄继光突然站起来了！在暴(bào)风雨一样的子弹中站起来了！他举起右臂，手雷在探照灯的光亮中闪闪发光。

　　轰！敌人的火力点塌(tā)了半边，黄继光晕(yūn)倒了。战士们赶紧冲上去，不料才冲到半路，敌人的机枪又叫起来，战士们被压在山坡上。

　　天快亮了，规(guī)定的时间马上到了。指导员正在着急，只见黄继光又站起来了！他张开双臂，向喷射着火舌的火力点猛扑上去，用自己的胸膛(táng)堵住了敌人的枪口。

　　"冲啊！为黄继光报仇(chóu)！"喊声惊天动地。战士们像海涛一样向上冲，占领了597.9高地，消灭了阵地上的全部敌人。

yì	yíng	lí	lǚ	qǐ	fù
役	营	黎	屡	启	负

bào	tā	yūn	guī	táng	chóu
暴	塌	晕	规	膛	仇

思考·练习

1　默读课文，回答问题。

(1) 黄继光所在的营在什么时候，接到上级的什么命令？

(2) 黄继光是在什么情况下向指导员请求摧毁敌人火力点的任务的？

(3) 在怎样的情况下，"黄继光突然站起来了"？在怎样的情况下，"黄继光又站起来了"？他站起来做什么？他为什么要这样做？

(4) 课文最后一个自然段主要讲的是什么，和全文有什么关系？

2　想想课文是按什么顺序记叙的，用归并自然段的方法把课文分为四段，该怎样分。

3 读下面的句子，回答括号里的问题。

   (1) 战士们屡次突击，都被比雨点还密的枪弹压了回来。("屡次"是什么意思?为什么"屡次突击"都没有成功?)

   (2) 让祖国人民听我们胜利的消息吧!(这句话表达了黄继光怎样的心情?)

   (3) 他用尽全身的力气，更加顽强地向前爬，还有20米，10米……近了，更近了。(联系上文，说说句子中的数字和省略号的作用。)

4 读读写写。

战役　黎明　负伤　持续　屡次　惊天动地

规定　胸膛　晕倒　报仇　暴风雨　启明星

5 有感情地朗读课文。背诵第八至第十一自然段。

6　小珊 (shān) 迪 (dí)

预习

　　我们都有幸福美好的童年。小珊迪在饥 (jī) 饿、痛苦中挣 (zhēng) 扎 (zhá)。 他没有幸福的童年，却有纯 (chún) 洁美好的心灵。读一读课文，你一定会十分同情小珊迪的悲惨遭遇，一定会被小珊迪的高尚 (shàng) 品质所感动。读的时候，自学生字新词，想想课文主要讲了什么事，开始怎样，后来怎样，结果怎样。

　　故事发生在爱丁堡。

　　有一天，天气很冷，我和一位同事站在旅馆门前谈话。

　　一个小男孩走过来，他身上只穿着一件又薄又破的单衣，瘦瘦的小脸冻得发青，一双赤着的脚冻得通红。他对我们说："先生，请买盒火柴吧！"

　　"不，我们不需要。"我的同事说。

　　本文作者是英国作家迪安·斯坦雷。

"一盒火柴只要一个便士呀！"可怜的孩子请求着。

"可是，我们不需要火柴。"我对他说。

小男孩想了一会儿，说："我可以一便士卖给你们两盒。"

为了使他不再纠(jiū)缠(chán)，我答应买一盒。可是在掏(tāo)钱的时候，我发现身上没带零钱，于是对他说："我明天再买吧。"

"请您现在就买吧！先生，我饿极了！"男孩子乞(qǐ)求道，"我给您去换零钱。"

我给了他一先令，他转身就跑了，等了很久也不见他回来。我想可能上当了，但是看那孩子的面孔，看那使人信任的神情，我又断定他不是那种人。

晚上，旅馆的侍(shì)者说，有个小男孩要见我。小男孩被带进来了，我发现他不是卖火柴的那一个，但可以看出是那个男孩的弟弟。小男孩在破衣服里找了一会儿，然后才问："先生，您是向珊迪买火柴的那位先生吗？"

"是的。"

"这是您那个先令找回来的 4 个便士。"小男孩说，"珊迪受伤了，不能来了。一辆马车把他撞倒了，从他身上轧 (yà) 了过去。他的帽子找不到了，火柴也丢了。还有 7 个便士也不知哪儿去了。说不定他会死的……"

我让小男孩吃了些东西，跟着他一块儿去看珊迪。这时我才知道，他们俩是孤儿，父母早死了。可怜的珊迪躺在一张破床上，一看见我就难过地对我说："我换好零钱往回跑，被马车撞倒了，轧断了两条腿。我就要死了。可怜的小利比，我的好弟弟！我死了你怎么办呢？谁来照顾你呢？"

我握住珊迪的手，对他说："我会永远照顾小利比的。"

珊迪听了，目不转睛地看着我，好像表示感激。突然，他眼睛里的光消失了。他死了。

直到今天，谁读了这个故事不受感动呢？饱受饥 (jī) 寒的小珊迪的美好的品

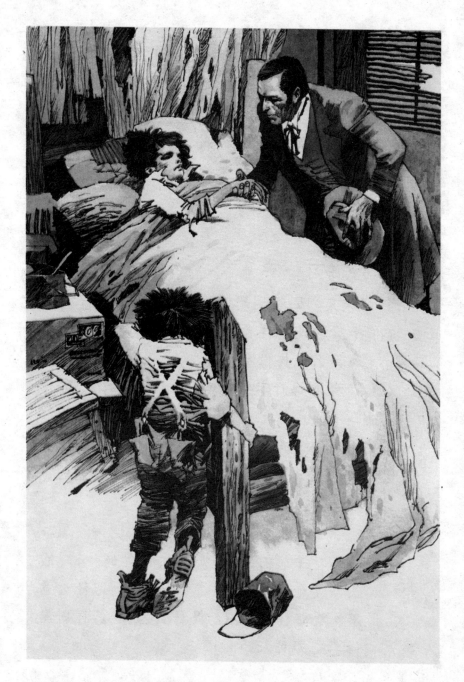

质 (zhì)，将永远打动人们的心。

---

jiū	chán	tāo	qǐ	shì	yà	jī	zhì
纠	缠	掏	乞	侍	轧	饥	质

思考·练习

1 默读课文，回答问题。

　(1) 小珊迪是怎样要求"我"买他的火柴的？他为什么这样做？

　(2) 小珊迪换好零钱往回跑，发生了什么事？他临死前最挂念的事是什么？

　(3) 小珊迪的哪些美好品质打动了你的心？

2 按照事情的经过，并结合运用归并自然段的方法，给课文分段。

3 读句子，联系上下文回答括号里的问题。

　(1) 看那孩子的面孔，看那使人信任的神情，我又断定他不是那种人。（"断定"是什么意思？"那种人"指的是什么人？我怎样断定他不是那种人？）

(2) 珊迪听了，目不转睛地看着我，好像表示感激。（"目不转睛"是什么意思？珊迪为什么目不转睛地看着我？）

4　读读写写，理解带点的词语。

旅馆　纠缠　请求　照顾　感激　饱受饥寒
侍者　断定　乞求　品质　感动　目不转睛

5　用自己的话把这个故事讲给别人听。

练笔

通过语言或行动，写出你熟悉的一个人的某一方面的品质。语句要完整、通顺。

7　劳动最有滋(zi)味

预习

老舍先生小时候家里很穷，为了生活，大人终年忙碌，像他这样的孩子也必须参加劳动。可老舍先生说"劳动是最有滋味的事"。这是为什么呢？读

选自老舍的《贺年》。

一读课文，自学生字新词，再想想课文的后半部分，是从哪三个方面讲劳动的滋味和乐趣的。

劳动是最有滋味的事。肯劳动，连过年都更有滋味，更多乐趣。

记得当我还是个孩子的时候，家里很穷，所以母亲在一入冬就必须积极劳动，给人家浆(jiāng)洗大堆大堆的衣服，或代人赶做新大衫等，以便挣(zhèng)到一些钱，作过年之用。

姐姐和我也不能闲着。她帮母亲洗、做；我在一旁打下手儿 —— 递烙(lào)铁、添火，送热水与凉水等等。我还兼(jiān)管喂狗、扫地，给灶(zào)王爷上香。我必须这么做，以便母亲和姐姐多赶出点活计来，增加收入，好在除夕(xī)和元旦(dàn)吃得上包饺(jiǎo)子！

快到年底，活计都交出去了，我们就忙着筹(chóu)备过年。我们的收入有限(xiàn)，当然不能过个肥年。可是，我们也有非办不可的事：灶王龛(kān)上总得贴上新对联，屋里总得大扫除一次，破桌子上已经不齐全的铜活总得擦亮，猪肉与白菜什么的也总得多少买一些。从大户人家来看，我们的这点筹办工作的[dí]确简单得可怜。我们自己却非常兴奋。

我们当然兴奋。首先是我们过年的那一点费用是我们自己的劳动换来的，来得硬正。每逢我向母亲报告：当铺刘家宰(zǎi)了两口大猪，或放债(zhài)的孙家请来三堂供佛 [fó] 的、像小塔似 [shì] 的头号"蜜供 [gòng]"，母亲总会说：咱们的饺子里菜多肉少，可是最好吃!当时，我不大明白为什么菜多肉少的饺子最好吃。在今天想起来，才体会到母亲的话里确有很高的思想性。是呀，第一我们的饺子不是由开当铺或放高利贷(dài)得来的，第二我们的饺子是亲手包的，亲手煮的，怎么能不好吃呢？刘家和孙家的饺子想必是油多肉满，非常可口，但是我们的饺子会使我们的胃(wèi) 里和心里一齐舒(shū)服。

劳动使我们穷人骨头硬，有自信心。回忆(yì)起来，在那黑暗的岁月里，我们一家子怎么闯(chuǎng)过一关又一关，终于挣[zhēng]扎(zhá)过来，得到解放，实在不能不感谢共产党，也不能不提到母亲的热爱劳动。她不懂得革命，可是她使儿女们懂得：只有手脚不闲着，才不至(zhì)于走到绝(jué)路。

我还体会到：劳动会使我们心思细腻(nì)。任何工作都不是马马虎虎就能做好的。马马虎虎，必须另做一回，倒不如一下手就仔仔细细，做得妥(tuǒ)妥贴贴。劳动与取巧是结合不到一处的。要不，怎么劳动会改变一个人的气质呢？

jiāng	zhèng	zào	xī	dàn	jiǎo	chóu
浆	挣	灶	夕	旦	饺	筹

xiàn	zhài	wèi	shū	chuǎng	zhì	jué
限	债	胃	舒	闯	至	绝

思考·练习

1 默读课文，回答问题。

(1) 一入冬，全家人是怎样积极劳动的？快到年底，全家人是怎样忙着筹备过年的？

(2) 围绕"劳动最有滋味"，作者讲了哪三个方面的体会？

(3) 课文先叙述事情，再讲体会，这样写有什么好处？

2 按照下面的提示，练习给课文分段。

(1) 劳动是最有滋味的事。

(2) "我"小时候，为了挣点钱过年，全家人都必须积极劳动。

(3) 全家人忙着筹备过年。

(4) "我"对劳动的体会，即为什么说"劳动最有滋味"。

3 读下面的句子，回答括号里的问题。

(1) 咱们的饺子里菜多肉少，可是最好吃！(母亲为什么要这样说？)

(2) 我们的饺子会使我们的胃里和心里一齐舒服。("胃里""心里"分别指的是什么？)

(3) 马马虎虎，必须另做一回，倒不如一下手就仔仔细细，做得妥妥贴贴。（比较一下"马马虎虎"和"马虎"，"仔仔细细"和"仔细"，"妥妥贴贴"和"妥贴"在表达上的不同。）

4 读读写写。

乐趣　浆洗　除夕　硬正　有限　马马虎虎
积极　筹备　元旦　舒服　气质　仔仔细细

5 有感情地朗读课文。背诵最后一个自然段。

8*　种　子

预习

老师向全班同学布置收集树种的任务，一个女孩交的树种并不多，却使老师激动不已。读了这篇课文，你就会找到其中的原因，并且会深受感动。读课文的时候，遇到不懂的词语查字典或联系课文加以理解，并画出使你感动的词句。

本文作者赵德明，选作课文时有改动。

我有点儿不高兴。讲桌上堆放的洋槐(huái)树籽(zǐ)有浅(qiǎn)黄的，甚(shèn)至还有豆绿色的。籽粒里掺(chān)杂着荚(jiá)皮和角柄(bǐng)。不过还好，每个人交的树种都挺多。我扫视全班同学一眼，想说点什么，可是没有说。

我刚被分配(pèi)到这所学校，担任这个班的班主任。初来乍(zhà)到，我不便说什么。

这时，走上来一个小女孩，穿一身素(sù)雅(yǎ)的秋装，显得落落大方而又略带羞(xiū)涩(sè)。她走到我跟前，冲[chòng]我抿(mǐn)嘴一笑，低下头，把手伸进裤兜(dōu)里。

"怎么，没采到?"我问。

"不，可是没有他们那么多。"她的脸刷地红了，撩(liāo)起上眼皮看了我一眼，惭(cán)愧(kuì)地站在那儿。

"那，你采的呢?"我又问。

她从兜里掏出一个小葫芦，又从兜里掏

出一张纸，在桌子上展平，然后凝望着那小葫芦的嘴儿，小心翼翼地往外抖。一颗，两颗，三颗……我看着她倒出来的树种，不由得心里一动。那种子一般大小，有如饱满的黑豆，每一颗都闪着乌亮的光泽(zé)。

我想她一定是用那双小手挑了又挑，选了又选，树种才能如此一般大小，闪闪发光！我被一颗虔(qián)诚的童心感染了，心里充满温暖。望着她那俊(jùn)秀的脸颊(jiá)，专注的样子，我仿佛看见在茫(máng)茫的山川(chuān)原野上，一棵棵洋槐树正在茁(zhuó)壮成长，为辽阔的大地撑起一柄柄绿色的大伞。

"就这么一点儿。"她摇晃一下小葫芦，

抬起头来，目光正好和我凝注的眼神相遇。我笑着点点头。她害羞地一笑，轻轻掠一下乌黑的短发，拿着小葫芦回到自己的座位上。

我扫视一下全班同学，发现几十双眼睛都在注视着那白纸上不多的槐树籽。我小心翼翼地把这些槐树籽包起来，唯(wéi)恐丢失一颗。

我站在讲台上，开始了教师生涯(yá)的第一次讲话。

思考·练习

1 阅读课文，回答问题。

(1) 收集树种的任务，全班同学谁完成得最好，为什么？

(2) 顺着课文的结尾想一想，"我"会讲些什么？

2 根据下面的意思，把课文分成三段。

(1) 望着交上来的树种，"我"有点儿不高兴。

(2) 小女孩交的树种不多，却是经过精心挑选
的。

(3) "我"深受感动，开始了教师生涯的第一次
讲话。

3　有感情地朗读课文。

读写例话

练习给课文分段

给课文分段有多种方法，归并法是比较常用的一种。首先，要把课文从头至尾读一遍，对整篇课文有个初步印象。然后，一个自然段一个自然段地读。每读完一个自然段，想一想这段主要说的是什么。再看看哪几个自然段联系比较紧密，合起来讲了一个意思，就可以归并为一段；哪个自然段单独(dú)讲了一个意思，就可以独立成段。

比如，逐(zhú)个自然段阅读《黄继光》这篇课文，了解到，第一、二自然段，讲在什么时间、什么情况下，黄继光所在的营接到上级的命令，可以作为第一段。第三至第六自然段，讲黄继光请求炸掉敌人的火力点，指导员答应了他的请求，可以作为第二段。第七至第十一自然段，合起来讲黄继光顽强战斗、用胸膛堵住敌人枪口的经过，可以作为第三段。最后一个自然段，讲战士们攻占597.9高地，夺取了战斗的胜利，可以作为第四段。这样，这篇课文可以分作四段来进一步阅读、理解。

基础训练 2

字·词·句

一　比一比，再组成词语写下来。

庄（　　）　　高（　　）　　桑（　　）
桩（　　）　　稿（　　）　　嗓（　　）

暴（　　）　　堂（　　）　　交（　　）
爆（　　）　　膛（　　）　　饺（　　）

狠（　　）　　睁（　　）　　桨（　　）
恨（　　）　　挣（　　）　　浆（　　）

寿（　　）　　持（　　）　　炒（　　）
筹（　　）　　侍（　　）　　抄（　　）

二　读下面的句子，注意带点的词语。

1　星期天，我和爸爸、妈妈去公园游玩。

2　天都峰高而且陡（dǒu）。

3　因为知识的海洋是漫无边际的，所以学习是无止境的。

4　天气虽然很冷，但是大家的热情很高。

5　现在，我们如果不努力学习，长大就不能
　担当起建设祖国的重任。

三　给下面的句子加上词语，让句子表达的意思
　更具体。

1　（　）的天安门广场变成了鲜花的海洋。

2　（　）的天空，像一面（　）的大镜子。

3　今天上学小明又迟到了，老师正在（　）
　地教育他。

4　（　）的星星（　）地撒满了夜空。

四　给下面的句子加上标点。

1　日常生活中用的电灯　电话　电冰箱
　电视机都离不开电

2　浅海里有鱼　虾　贝　还有各种海藻(zǎo)
　如海带　紫菜　石花菜等

阅读

　　认真阅读下面的短文，每读完一个自然段，想
想这段主要讲的是什么，并说说“我”为什么喜欢
花生花。

七月的一天，我和妈妈路过一块花生地，看见绿叶丛中疏(shū)密有致地开着点点黄花，犹如绿毯上镶(xiāng)着金灿灿的宝石。我不由自主地走上前，顺手就要摘花生花。

"快别摘。"妈妈制止了我，"花生的花，没有一朵是'空花'。你摘一朵，就要少长一颗花生。"妈妈指了指不远处的果园子，又说："花生开花不起眼，不像那些桃花、梨花爱张扬。花谢之后，把果实埋在地下，不愿意让人们知道花生结果有自己的一份功劳。"

妈妈的话引起我的深思：多么可爱的花生花，就是这千千万万朵小黄花，默默地开放，默默地凋(diāo)谢，默默地贡(gòng)献千千万万颗花生。

作文

　　生活中有给你留下美好印象的陌(mò)生人，有你非常尊敬的亲人，也有和你十分要好的小伙伴……选择你喜欢的一个人的一件事，写成一个片段，要把这件事的经过写清楚。

第 三 组

导读

　　本组有四篇课文。《古诗两首》《颐(yí)和园》《五彩池》是讲读课文,《昨天,这儿是一座村庄》是阅读课文。

　　学习这组课文,要继续练习给课文分段。还要在学习过程中通过今昔(xī)对比,了解祖国河山壮美、文化灿烂以及改革开放取得的伟大成就。

9 古诗两首

预习

　　这两首古诗都是传诵千古的名篇。一首表现了庐(lú)山瀑布的雄伟气势；一首描绘了明媚(mèi)秀丽、充满生机的景致。借助字典，理解词句，再放声朗读几遍课文，有不懂的地方画下来。

望庐(lú)山瀑布

日照香炉生紫烟，
遥看瀑布挂前川(chuān)。
飞流直下三千尺，
疑是银河落九天。

本诗作者是唐代诗人李白。

绝 句

两个黄鹂鸣翠柳，
一行白鹭(lù)上青天。
窗含(hán)西岭千秋雪，
门泊东吴(wú)万里船。

lú	chuān	lù	hán	wú
庐	川	鹭	含	吴

本诗作者是唐代诗人杜甫。

思考·练习

1 诗人是站在什么地方观看庐山瀑布的?诗中哪些
语句具体写瀑布,是抓住什么来写的?

2 用自己的话说说《绝句》描写的景色。

3 解释带点的词,并说说诗句的意思。

日照香炉生紫烟　　疑是银河落九天

两个黄鹂鸣翠柳　　窗含西岭千秋雪

4 背诵课文。默写课文。

10　颐 (yí) 和园

预习

　　颐和园是个美丽的大公园。这篇课文像展开的
一幅画卷,把颐和园的湖光山色、亭 (tíng) 台阁 (gé)
榭 (xiè)、长廊 (láng) 石桥等景物生动地描绘了下来。
读读课文,自学生字新词,想想作者是按怎样的顺
序介绍颐和园的,课文的每个自然段主要讲的是
什么,哪些自然段联系比较紧密。

　　北京的颐和园是个美丽的大公园。

　　进了颐和园的大门，绕过大殿(diàn)，就来到有名的长廊(láng)，绿漆(qī)的柱子，红漆的栏杆[gān]，一眼望不到头。这条长廊有700多米长，分成273间。每一间的横槛(jiàn)上都有五彩的画，画着人物、花草、风景，几千幅画没有哪两幅是相同的。长廊两旁栽(zāi)满了花木，这一种花还没谢，那一种又开了。微风从左边的昆(kūn)明湖上吹来，使人神清气爽(shuǎng)。

走完长廊，就来到了万寿山脚下。抬头一看，一座八角宝塔形的三层建筑耸立在半山腰上，黄色的琉(liú)璃瓦闪闪发光。那就是佛香阁(gé)。下面的一排排金碧辉煌(huáng)的宫殿，就是排云殿。

登上万寿山，站在佛香阁的前面向下望，颐和园的景色大半收在眼底。葱(cōng)郁(yù)的树丛，掩映着黄的绿的琉璃瓦屋顶和朱(zhū)红的宫墙。正前面，昆明湖静得像一面镜子，绿得像一块碧玉。游船、画舫(fǎng)在湖面慢慢地滑过，几乎不留一点儿痕(hén)迹。向东远眺(tiào)，隐隐约约可以望见几座古老的城楼和城里的白塔。

从万寿山下来，就是昆明湖。昆明湖围着长长的堤(dī)岸，堤上有好几座式样不同的石桥，两岸栽着数不清倒垂的杨柳。湖中心有个小岛，远远望去，岛上一片葱绿，树丛中露出宫殿的一角。游人走过长长的石桥，就可以去小岛上玩。这座石桥有十七个桥洞，叫十七孔桥；桥栏杆上有上百根石柱，柱子上都雕(diāo)刻着小狮子。这么多的

狮子，姿态不一，也没有哪两只是相同的。

　　颐和园到处有美丽的景色，说也说不尽，希望你有机会去细细游赏(shǎng)。

---

diàn	láng	qī	zāi	kūn	shuǎng	gé
殿	廊	漆	栽	昆	爽	阁

huáng	cōng	yù	zhū	dī	diāo	shǎng
煌	葱	郁	朱	堤	雕	赏

思考·练习

1　默读课文，回答问题。

　　(1) 颐和园的长廊是什么样的？

　　(2) 登上万寿山，眼前呈现怎样的景色？

　　(3) 昆明湖上有哪些景物，十七孔桥是什么样的？

2　在理解课文的基础上，说说作者游览颐和园的顺序，并练习给课文分段。

3　读下面的句子，说说这些句子分别是抓住什么来描写景物的。

　　(1) 这条长廊有700多米长，分成273间。

(2) 正前面，昆明湖静得像一面镜子，绿得像一块碧玉。游船、画舫在湖面慢慢地滑过，几乎不留一点儿痕迹。

(3) 这座石桥有十七个桥洞，叫十七孔桥；桥栏杆上有上百根石柱，柱子上都雕刻着小狮子。

4 读读写写，并用带点的词语造句。
宫殿 堤岸 掩映 雕刻 金碧辉煌 神清气爽
长廊 杨柳 葱郁 耸立 细细游赏 隐隐约约

5 有感情地朗读课文。背诵第二、四自然段。

11 五彩池

预习

水是没有颜色的。五彩池中的水怎么会是五颜六色的呢?课文对其中的奥(ào)妙(miào)作了生动有趣的描写。读读课文，要读准字音，画出不懂的词语，看看全文有几个自然段，想想每个自然段主要讲了什么，并试着给课文分段。

我小时候听奶奶讲，西方有座昆仑(lún)山，山上有个瑶(yáo)池，那是天上的神仙住的地方；池里的水好看极了，有五种颜色，红的，黄的，绿的，蓝的，紫的。奶奶是哄 [hǒng] 着我玩儿，我却当作了真的，真想有一天能遇上神仙，跟着他腾云驾雾，飞到那五彩的瑶池边去看看。没想到今年夏天去四川松潘(pān)旅游，在藏龙山上，我真的看到了像瑶池那样神奇的五彩池。

　　那是个晴朗的日子，我乘汽车来到藏龙山，只见漫山遍野都是大大小小的水池。无数的水池在灿烂的阳光下，闪耀着各种不同颜色的光辉，好像是铺展着的巨幅地毯上的宝石。水池大的面积不足一亩(mǔ)，水深不过一丈；小的像个菜碟(dié)，水很浅，用小拇(mǔ)指就能触到池底。池边是金黄色的石粉凝成的，像一圈圈彩带，把大大小小的水池围成各种不同的形状，有像葫芦的，有像镰刀的，有像盘子的，有像莲花的……

　　更使我惊奇的是，所有的池水来自同一

条溪流，溪水流到各个水池里，颜色却不同了。有些水池的水还不止一种颜色，上层是咖（kā）啡（fēi）色的，下层却成了柠（níng）檬（méng）黄；左半边是天蓝色的，右半边却成了橄（gǎn）榄（lǎn）绿。可是把水舀（yǎo）起来看，又跟普通的清水一个样，什么颜色也没有。

　　明明是清水，为什么在水池里会显出不同的颜色来呢？原来池底长着许多石笋（sǔn），有的像起伏的丘（qiū）陵，有的像险峻（jùn）的山峰，有的像矗（chù）立的宝塔，有的像成簇的珊瑚（hú）。石笋表面凝结着一层

细腻的透明的石粉。阳光透过池水射到池底，石笋就像高低不平的折光镜，把阳光折射成各种不同的色彩。水池周围的树木花草长得很茂盛，五光十色的倒影使池水更加瑰(guī)丽。

原来五彩的瑶池就在人间，不在天上。

lún	yáo	pān	mǔ	dié	mǔ
仑	瑶	潘	亩	碟	拇
yǎo	sǔn	qiū	jùn	chù	
窈	笋	丘	峻	矗	

思考·练习

1　默读课文，回答问题。

　　(1) 五彩池在哪里?水池都是什么形状的?池水都有哪些颜色?

　　(2) 课文哪几句是讲池水显出不同颜色的原因的?找出来读一读，再用自己的话说一说。

(3) 为什么说"五彩的瑶池就在人间,不在天上"?

2　给课文分段,想想每段主要讲的是什么。

3　注意带点的部分,想象句子描绘的景象。

(1) 无数的水池在灿烂的阳光下,闪耀着各种不同颜色的光辉,好像是铺展着的巨幅地毯上的宝石。

(2) 池边是金黄色的石粉凝成的,像一圈圈彩带,把大大小小的水池围成各种不同的形状,有像葫芦的,有像镰刀的,有像盘子的,有像莲花的 ……

(3) 池底长着许多石笋,有的像起伏的丘陵,有的像险峻的山峰,有的像矗立的宝塔,有的像成簇的珊瑚。

4　读读写写。

瑶池　菜碟　险峻　折射　茂盛　昆仑山

丘陵　石笋　矗立　神奇　灿烂　腾云驾雾

5　有感情地朗读课文。背诵第二、四自然段。

12*　昨天，这儿是一座村庄

预习

　　这首诗反映了改革开放以来，我们的祖国所发生的翻天覆(fù)地的变化。人们在告别昨天的贫穷落后，赞颂今天的幸福生活，展望光辉灿烂的明天。把这首诗读一读，想想改革开放给农村带来了哪些变化。

昨天，这儿是一座村庄，
生活，多少年来一个模样。
贫(pín)穷落后困扰(rǎo)着人们，
现代文明是那样遥远、渺(miǎo)茫(máng)。

晨曦(xī)中阿爸在田间劳作，
烟雾里阿妈煮饭在灶旁，
小孩子在稻草堆里打滚，
姑娘从溪边挑回一担 [dàn] 担摇晃的夕
　阳……

呵 (hē)，只不过短短的几年时光，
变化超 (chāo) 出了人们的想象。
祖国边陲 (chuí) 的这座村庄，
奇迹般地改变了自己的模样。

高速公路代替了泥泞 (nìng) 的古道，
破旧的土屋变成了厂房幢 (zhuàng) 幢。
儿童乐园充满着欢声笑语，
彩灯喷泉装点得像仙境一样。

人们呢？我熟悉的乡亲们呢？
难道离开了世代居住的地方？
不，他们没有离开故土，
在特区，到处可以看到那些熟悉的面庞 (páng)。

他们开着卡车，运送水泥、钢材，
提着皮包，和外商谈判办厂。
伴着灯光，在知识的海洋里遨 (áo) 游，
和 [hè] 着乐 [yuè] 曲，翩翩起舞放声歌唱。

再不是只求三餐眼看脚下，
探寻的目光已越出国界射向四方。
从仪 (yí) 表到心灵都焕 (huàn) 然一新，
就像那彩色的特区新城一样。

这就是昔 (xī) 日面向黄土背朝天的农民，
改革开放给他们插上翅膀，
似春燕在田野上飞起，
传递着新的信息，描画着美好春光。

思考·练习

1　阅读课文，回答问题。

　　(1) 诗歌共有几节，每节主要讲的是什么？

　　(2) 昨天的村庄什么模样？今天的特区新城又是
　　　　什么样的？为什么会有这样的变化？

2　有感情地朗读课文。

基础训练 3

 字·词·句

一 读一读，注意每个词前后两个音节的拼法。

dà jiā　　páng biān　　huāng zhāng

huà tú　　jué suàn　　háng xiàng

二 按要求填表。

查带点的字	要查的部首	除部首还有几画	在准确的词义前面打"√"
逐·渐			①（　）追赶　②（　）赶走 ③（　）按顺序
恢·复			①（　）变成原来的样子 ②（　）广大
若·隐若现			①（　）如果、假如 ②（　）像　③（　）你

三 读句子，注意带点的词语。

1 "六一"这一天，妹妹打扮得很漂亮，高高兴兴地到学校参加营火晚会。

2 长廊两旁栽满了花木，这一种花还没谢，那一种又开了。

3 黄继光张开双臂，向喷射着火舌的火力点猛扑上去，用自己的胸膛堵住了敌人的枪口。

四　读句子，注意每句话中前后带点词语之间的关系。

1　水池周围的树木花草长得很茂盛。

2　听到这个振奋人心的消息，我们都高兴得跳起来。

3　《小珊迪》这篇课文我一口气读了三遍。

听话·说话

　　向同学介绍自己，说说自己的相 [xiàng] 貌、性格、爱好、学习等情况以及主要优缺点。说之前要想好说的内容和顺序，说的时候要做到语句通顺、连贯。

阅读

.　认真阅读下面的短文，在一个自然段一个自然段阅读思考的基础上，把短文分成两段，并想想青蛙为什么不吃眼前放着的可吃的东西。

青蛙最喜欢吃昆虫。苍蝇，蚊子，白蛉(líng)，蚱(zhà)蜢(měng)……它都爱吃。它鼓着一双大眼睛，蹲(dūn)在池塘边上，只要有虫子飞过，它噌(cēng)地跳起来，舌头一伸，就把虫子卷进嘴里去了。

有人把青蛙养在笼子里，拿许多死苍蝇放在笼子里来喂它。可是奇怪，青蛙一只也不吃，竟(jìng)活活饿死

了。是不是因为苍蝇是死的，青蛙不爱吃呢?不是。只要把死苍蝇拴(shuān)在线上，在青蛙眼前掠过，青蛙跳起来就把它吞了，跟吃活的苍蝇一个样。

青蛙的眼睛非常特殊(shū)，看动的东西很敏锐，看静的东西却很迟钝(dùn)。只要虫子在飞，飞得多快，往哪个方向飞，它都能分辨(biàn)清楚，还能判断什么时候跳起来准能把虫子逮住。可是虫子如果停住不飞，它就看不见了。所以拿死苍蝇来喂青蛙，青蛙不知道眼前放着可吃的东西，只好活活饿死。

作文

　　仔细观察一处秋天的景色(如田野、公园、校园),然后抓住特点,写一个片段。要按一定的顺序写,内容要具体,语句要通顺、连贯。

第 四 组

导读

　　本组安排了四篇课文。《观潮》《高大的皂(zào)荚(jiá)树》《海滨(bīn)小城》是讲读课文,《小狮子爱尔莎(shā)》是阅读课文。这些课文都是作者细心观察大自然和人在大自然中的活动之后写成的。

　　学习本组课文,要在理解课文内容的同时,学习作者是怎样观察事物和描写事物的,受到热爱大自然、立志改造大自然的教育,陶(táo)冶(yě)爱美的情趣。

13 观　　潮

预习

　　钱塘江大潮指的是浙（zhè）江省杭州湾钱塘江的涌潮。本文作者把它写得雄伟壮观，有声有色，读了使人如临其境。这是作者认真观察的结果。读读课文，自学生字新词，并想想"潮来之前""潮来之时""潮来之后"的情景。

　　钱塘江大潮，自古以来被称为"天下奇观"。

　　农历八月十八是一年一度的观潮日。这一天早上，我们来到了海宁县的盐官镇（zhèn），据说这里是观潮最好的地方。我们随着观潮的人群，登上了海塘大堤。宽阔的钱塘江横卧在眼前。江面很平静，越往东越宽，在雨后的阳光下，笼罩（zhào）着一层蒙蒙的薄雾。镇海的古塔、中山亭（tíng）和观潮台

　　选自赵宗成、朱明元的《喜看今日钱塘潮》。

屹(yì)立在江边。 远处，几座小山在云雾中若(ruò)隐若现。江潮还没有来，海塘大堤上早已人山人海。大家昂(áng)首东望，等着，盼(pàn)着。

午后一点左右，从远处传来隆隆的响声，好像闷雷滚动。顿时人声鼎(dǐng)沸(fèi)，有人告诉我们说：潮来了!我们踮(diǎn)着脚往东望去，江面还是风平浪静，看不出有什么变化。过了一会儿，响声越来越大，只见东边水天相接的地方出现了一条白线，人群又沸腾起来。

那条白线很快地向我们移来，逐(zhú)渐

拉长，变粗，横贯江面。再近些，只见白浪翻滚，形成一道两丈多高的白色城墙。浪潮越来越近，犹如千万匹白色战马齐头并进，浩浩荡荡地飞奔而来；那声音如同山崩（bēng）地裂，好像大地都被震得颤（chàn）动起来。

霎（shà）时，潮头奔腾西去，可是余（yú）波还在漫天卷地地涌来，江面上依旧风号〔háo〕浪吼（hǒu）。过了好久，钱塘江才恢（huī）复（fù）了平静。看看堤下，江水已经涨（zhǎng）了两丈来高了。

zhèn	zhào	tíng	yì	ruò	áng	pàn	zhú
镇	罩	亭	屹	若	昂	盼	逐

bēng	chàn	yú	hǒu	huī	fù	zhǎng
崩	颤	余	吼	恢	复	涨

思考·练习

1　默读课文，回答问题。

　　(1)　作者是在什么地方观看钱塘江大潮的？江潮还没有来，作者看到了什么？

　　(2)　大潮是从哪个方向来的？课文是怎样具体描写潮水到来时的情景的？

2　练习给课文分段。

3　读下面的句子，理解带点的词语，并从中选择两个造句。

　　(1)　钱塘江大潮，自古以来被称为"天下奇观"。

　　(2)　宽阔的钱塘江横卧在眼前。

　　(3)　过了一会儿，响声越来越大，只见东边水天相接的地方出现了一条白线，人群又沸腾起来。

　　(4)　那条白线很快地向我们移来，逐渐拉长，变粗，横贯江面。

　　(5)　浪潮越来越近，犹如千万匹白色战马齐头并进，浩浩荡荡地飞奔而来；那声音如同山崩地裂，好像大地都被震得颤动起来。

4　读读写写。
　　屹立　昂首　盼着　逐渐　涨高　水天相接
　　笼罩　颤动　余波　恢复　风号浪吼　山崩地裂
5　朗读课文。背诵第三、四自然段。

14　高大的皂 (zào) 荚 (jiá) 树

预习

　　学校前面的一棵高大的皂荚树，引起了作者的注意。他留心观察，写下了这篇文章。读读课文，自学生字新词，再把描写皂荚树高大、茂盛的句子画下来，并想想作者是从哪些方面来描写皂荚树的高大、茂盛的。

　　在我们学校前面，有一块大约三十步见方的空 [kòng] 地，这块空地后来成了我们的小操场。在这个操场的东边，有一棵很高很大的皂荚树。

　　本文作者是秦裕权。

好大的皂荚树啊，我们六个小同学手拉着手，才能把它抱住。

好茂盛的皂荚树啊，它向四面伸展的枝叶，差不多可以阴盖住我们整个小操场。

皂荚树的叶片是小小的，有点像槐(huái)树的叶子。小小的叶子一串串，一层层，长得密密麻麻，结成了一顶巨大的绿色的帐(zhàng)篷(péng)。

春天，下小雨啦。皂荚树为我们遮(zhē)挡了雨滴，就不会很快掉下雨点来。我们就能够像平常一样，在操场上做体操，做游戏。

夏天，暴烈的太阳当头照。有了皂荚树的遮挡，烈日就只能投下星星点点的光斑。我们活动在操场上，觉得格外凉爽。

秋天，皂荚树上许许多多的皂荚儿成熟了，那样子，就像常见的大扁豆。高年级的同学爬上树去，用带钩子的小竹竿把皂荚儿钩下来。小同学呢，把它们捡进筐子里，交给老师。

每天，老师用皂荚熬(áo)了水，盛(chéng)

在脸盆里。上完课，我们的手上沾了些墨水，用皂荚水一洗，就又白白净净了。劳动过后，我们的手上、胳膊上满是土，满是泥，用皂荚水一洗，就又清清爽爽了。

冬天，皂荚树落叶了。枯黄的小叶子，打着旋 [xuàn] 儿，不断地飘落，在地上铺了一层又一层。这时候，我们就把树叶扫到一起，堆放在墙脚下。

记得有一天，天气很冷，同学们欢叫着点燃了一堆树叶。轻烟袅(niǎo)袅，褐红色的火苗升了起来。飘舞的轻烟和跳动着的火苗，映在我们的笑眼里，引起了我的沉思："皂荚树啊皂荚树，你曾(céng)经自己淋着，给我们挡雨；你曾经自己晒着，给我们遮阴；现在你又燃烧着自己，给我们温暖。皂荚树啊，你给了我们多少快乐，多少启迪。"想着想着，我的心里，好像有一颗种子在生根、发芽……

zào	jiá	zhàng	péng	zhē	áo	céng
皂	荚	帐	篷	遮	熬	曾

思考·练习

1 默读课文，回答问题。

(1) 在春、夏、秋、冬四季中，皂荚树为同学
们提供了哪些方便？这和皂荚树的高大、
茂盛有什么联系？

(2) 课文结尾"沉思"的话是什么意思？

2 根据"我们学校前面有一棵高大的皂荚树"和
"一年四季，皂荚树为同学们提供了许多方便"
两个意思，给课文分段。

3 作者怎样从树干、枝叶、果实等方面，联系一
年四季生长的不同特点，来观察和描写高大的
皂荚树？

4 读读写写，并用带点的词语造句。

帐篷　格外　沉思　曾经　皂荚树
遮挡　凉爽　飘舞　燃烧　密密麻麻

5 有感情地朗读课文。

15 海滨(bīn)小城

预习

你去过海滨吗?你想了解海滨小城是什么样子吗?读读课文,你会为海滨城市的美丽和整洁所叹服。先理解词语,再看看课文讲了海滨小城的哪些景物。

我的家乡在广东,是一座海滨小城。人们走到街道的尽头,就可以看见浩瀚(hàn)的大海。天是蓝的,海也是蓝的。海天交界的水平线上,有棕(zōng)色的机帆船和银白色的军舰来来往往。天空飞翔(xiáng)着白色的、灰色的海鸥,还飘着跟海鸥一样颜色的云朵。

早晨,机帆船、军舰、海鸥、云朵,都被朝阳镀(dù)上了一层金黄色。帆船上的渔民,军舰上的战士,他们的脸和胳臂也镀上了一层金黄色。

本文作者是林遐。

　　海边是一片沙滩，沙滩上遍地是各种颜色各种花纹的贝壳。这里的孩子见得多了，都不去理睬（cǎi）这些贝壳，贝壳只好寂寞（mò）地躺在那里。远处响起了汽笛声，那是出海捕鱼的船队回来了。船上满载［zài］着银光闪闪的鱼，还有青色的虾和蟹（xiè），金黄色的海螺。船队一靠岸，海滩上就喧（xuān）闹起来。

　　小城里每一个庭院都栽了很多树。有桉（ān）树、椰（yē）子树、橄榄树、凤（fèng）

凰(huáng)树，还有别的许多亚热带树木。初夏，桉树叶子散发出来的香味，飘得满街满院都是。凤凰树开了花，开得那么热闹，小城好像笼罩在一片片红云中。

小城的公园更美。这里栽着许许多多榕树。一棵棵榕树就像一顶顶撑开的绿绒(róng)大伞，树叶密不透风，可以遮太阳，挡风雨。树下摆着石凳，每逢休息的日子，石凳上总是坐满了人。

小城的街道也美。除了沥(lì)青的大路，

都是用细沙铺成的，踩上去咯 (gē) 吱 (zhī) 咯吱地响，好像踩在沙滩上一样。人们把街道打扫得十分干净，甚 (shèn) 至连一片落叶都没有。

这座海滨小城真是又美丽又整洁。

bīn	zōng	xiáng	dù	cǎi	mò
滨	棕	翔	镀	睬	寞

xuān	yē	fèng	huáng	róng	shèn
喧	椰	凤	凰	绒	甚

思考·练习

1 默读课文，回答问题。

  (1) 从小城看大海以及海边的沙滩，见到怎样的景象？

  (2) 小城的庭院、公园和街道，有什么特点？

2 举例说说作者怎样留心观察，写出小城的特点。

3 读读写写，并用带点的词语造句。

海滨　　寂寞　　棕色　　每逢　　凤凰树
飞翔　　喧闹　　理睬　　甚至　　来来往往

4 有感情地朗读课文。

16*　小狮子爱尔莎(shā)

预习

　　狮子是凶猛的野兽(shòu)，课文中的小狮子爱尔莎却是那么温柔、可爱，它和主人有着难以割舍的感情。读读课文，每读完一个自然段，想想这段主要讲的是什么。读完全文想想课文可以分成几段。

　　小狮子爱尔莎出生才两三天，它的妈妈就死了。我从岩石缝 [fèng] 里把它抱出来，抚(fǔ)摸它，喂它奶粉和用鱼肝(gān)油、葡萄糖(táng)配成的饮(yǐn)料。不久，它那蒙着

―――――――――
　　本文作者是奥地利作家乔伊·亚当逊。

蓝薄 [bó] 膜(mó)的小眼睛睁开了，那水汪汪的眼珠滴溜溜地转。五个月以后，它长大了，很强壮。它一刻也不离开我，晚上也跟我一起睡。半夜里它常常用粗糙(cāo)的舌头舔(tiǎn)我的脸，把我舔醒。

夏天来了，爱尔莎特别爱到河里洗澡(zǎo)，一洗就是几个钟(zhōng)头，洗够了就到茂密的芦苇丛中去休息。它看见我蹲(dūn)在河边，故意扑腾起浪花，还用前爪轻轻地把我扑倒在地上，十分高兴地和我开玩笑。

有一天傍晚，来了一只犀(xī)牛。犀牛的脾(pí)气很暴躁(zào)，不管是什么，甚至是火车头，它也敢撞。那只犀牛向我扑过来。我没带枪，四周也没有可以隐蔽的地方，心里想这下子可完了。我大声呼喊，爱尔莎从远处跑来，勇敢地和犀牛搏(bó)斗。犀牛敌不过它，掉头跑了，爱尔莎一口气把它赶出很远很远。

爱尔莎开始换牙的时候，像孩子一样张

开嘴给我看。我轻轻地摇动它快要脱落的乳（rǔ）牙。它闭着眼睛，一动也不动。我有时候靠在爱尔莎身上看书或者画画，它吮吸我的大拇指，不一会儿就安静地进入了梦乡。

　　我们到卢（lú）多尔湖去，路程（chéng）有370公里，大部分靠步行。一路上，爱尔莎像小狗一样蹦来跳去，一会儿追赶野兔，一会儿给我们叼来打死的羚（líng）羊。我们用几头驴（lú）子驮（tuó）行李。最初，爱尔莎还能跟它们和睦（mù）相处［chǔ］，可是有一天半夜里，爱尔莎忽然闯进驴群里。驴子吓得四散奔逃，有一头被爱尔莎抓伤了。这时候我才想到，兽（shòu）类在夜里容易发兽性。我用鞭子着实教训（xùn）了它一顿。爱尔莎搭拉着脑袋，一声不响，垂头丧（sàng）气地蹲在地上，好像求我宽恕（shù）。看着它那可怜的样子，我的震怒抛（pāo）到了九霄（xiāo）云外。我抚摸着它的头，安慰（wèi）它，告诉它下次可别这样了。它好像听懂了我的话，撒娇（jiāo）似的吮着我的大拇指，用头蹭（cèng）着我的膝盖，鼻子里发出轻轻的哼(hēng)声。

爱尔莎快两岁了，我想把它送到动物园去，后来又想，应该送它回到大自然去，替它选(xuǎn)择(zé)一个好的环境，让它自己去生活。由人抚养的动物回到大自然是不容易生存的，因为它带着人的气味。不过，这也是一种科学试验，我决心训练它回到大自然去，并且让它在那儿过幸福的生活。

我首先教它学会自己捕获(huò)食物。我把打得半死的羚羊抛到它跟前，让它去咬死剖(pōu)开，慢慢地，它会自己捕获一些食物了。过了些日子，我把它悄悄地放进狮子生活资源(yuán)丰富的地区，并且悄悄地离开它。有好几次，它都饿着肚子回来了。我又高兴又难过地接待了它，就像我嫁(jià)出去的女儿遇到不幸回到家里来一样。过了几天，我又把它送回大自然。它走后，我又十分想念它，特别是在暴风雨的夜晚，我整夜想着它，不知它怎么样了。

有一次，它回来了，发着高烧。我一步

也不离开它，它总是用两只爪子轻轻地抱着我的脖子入睡。我给它验血、吃药，和它睡在一起。我自己也忘记了我是个人，爱尔莎是只狮子了。它渐渐恢复了健康，可是我舍不得丢开它。又一想，它像出嫁的女儿，总是要回到兽类中去的，我才决心离开它。

爱尔莎和我一起生活了三年。最后分别的

时候，我感到莫大的痛苦。我搂住它的脖子，吻(wěn)着它；它好像也觉察到什么似的，用它那光滑的身子一个劲蹭我。之后，它恋(liàn)恋不舍地向森林走去，一次又一次回过头来看我，直到我们互相看不见了为止。

就这样，我把爱尔莎交回了大自然。

思考·练习

1 阅读课文，回答问题。

   (1) 从哪些地方可以看出爱尔莎和"我"有着很深的感情？

   (2) "我"为什么把爱尔莎交回了大自然？

2 按照小狮子成长的过程把课文分成三段，并想想每段主要说的是什么。

3 有感情地朗读课文。

读写例话

留心周围的事物

　　你知道怎样留心周围的事物吗？那就是不仅(jǐn)要用眼睛去看，用耳朵去听，还要用脑子去想。经常留心周围的事物，能增加见闻，丰富知识。把看到的、听到的、想到的积累 [lěi] 下来，作文就有写不完的材料。本组课文的作者都做到了留心周围的事物。比如《观潮》的作者细致地观察了钱塘江大潮到来之前、到来之时、到来之后的情景，既留心了江潮不断变化的样子，又留心了江潮发出的声音；既留心了江潮的气势，又留心了观潮人群情绪(xù)的变化。因此，读了这篇课文使人如闻其声，如见其形，有如置身于观潮人群中间一样。

　　希望你做个有心人，时时留心周围的事物，逐步养成多看、多听、多想的好习惯。

基础训练 4

 字·词·句

一 读一读,注意每一组音节中的韵母有什么不同。

	lèi		guì		bǎi		hòu
⎧	劳累	⎧	宝贵	⎧	摇摆	⎧	前后
	liè		liú		xià		huó
⎩	猛烈	⎩	流动	⎩	夏天	⎩	生活

二 用数笔画查字法,在字典里查出下面的字。

亟 垂 夷 粤 曳

三 用下列多音字组成词语。

载 ⎧ zǎi (　　) ⎩ zài (　　)

缝 ⎧ féng (　　) ⎩ fèng (　　)

铺 ⎧ pū (　　) ⎩ pù (　　)

号 ⎧ háo (　　) ⎩ hào (　　)

四 读下面的句子,注意带点的词语。

1 太阳落山了。

2 他目不转睛地看着墙上的画。

3 我看过这本有趣的书。

五 说说下面的句子有什么毛病，并加以改正。

    1 老师多次反复教育我们要好好学习。

    2 漫(màn)山遍野到处都是果树。

    3 老奶奶想起了许多过去的往事。

    4 我们全校师生和校长都参加了国庆联欢活动。

阅读

认真读下面的短文，想想短文可以分作哪三段来理解，说说作者是怎样把日出的过程写具体的。

太阳还没有出来。东边灰暗的天变成暗红色的了。天上的云像放牧的羊群，像飞奔的骏(jùn)马，像摔跤(jiāo)的大力士，像翩翩起舞的仙女，在不断变化着。东边的云渐渐地红了，亮了。

太阳出来了。先是一丝，像红色的线；不一会儿，像烧红的镰刀，像半只橙(chéng)红的桔(jú)子；一转眼，太阳像红色的大气球，慢慢地从东方升起来了。

阳光躲过云彩，穿过树丛，透过晨雾，斜 (xié) 斜地密密地洒满了大地。拖拉机突突地下地了。农民骑着自行车、摩 (mó) 托车三五成群地下地了。

田野的早晨是令人神往的。这令人神往的美景是大自然给予 (yǔ) 的，也是人们用劳动创造的。

 作文

观察你喜爱的一种植物，重点观察植物的干、枝、叶、花及其颜色。观察的时候，要抓住这种植物的特点。然后，写成一个片段。重点写这种植物的形状、颜色，以及你为什么喜欢它。要做到按一定的顺序写，内容要具体，语句要通顺。

第五组

导读

　　本组安排了四篇课文。《捞铁牛》《蝙(biān)蝠(fú)和雷达》《新型(xíng)玻璃》是讲读课文,《一次科技活动》是阅读课文。

　　学习本组课文,要在理解词句、读懂自然段、练习给课文分段的基础上,学习归纳(nà)段落大意,以便更好地掌握课文内容;同时受到爱科学、学科学、立志为祖国现代化作贡献的教育。

17 捞 铁 牛

预习

打捞沉到河底的船只或重物,现在做起来并不
太困难,可是在一千多年前我国的宋(sòng)代,就
有人能把沉到河底的铁牛捞上来,多么了不起!他
是谁,是用什么办法捞铁牛的呢?读读课文,你就会
明白了。读的时候,要借助字典、联系上下文初步
理解词语,并想想每个自然段主要说的是什么。

宋(sòng)朝时候,有一回黄河发大水,冲
断了河中府(fǔ)城外的一座浮桥。黄河两岸
的八只大铁牛是拴(shuān)住浮桥用的,也被
大水冲走了,陷在河底的淤(yū)泥里。

洪水退了,浮桥得重修。可是笨(bèn)重
的铁牛陷在河底,有哪个大力士能把它们一
只一只捞起来呢?人们正在议论纷纷,一个
和尚(shàng)说:"让我来试试。铁牛是被水冲

走的，我还叫水把它们送回来。"

　　和尚先请熟悉水性的人潜(qián)到水底，摸清了八只铁牛沉在哪儿。然后让人准备了两只很大的木船，船舱里装满泥沙，划到铁牛沉没(mò)的地方。船停稳了，他再叫人把两只船并排拴得紧紧的，用结实的木料搭个架子，跨在两只船上。又请熟悉水性的人带了很粗的绳(shéng)子潜到水底，把绳子的一头牢牢地拴住铁牛，绳子的另一头绑(bǎng)在两只大船之间的架子上。

　　准备工作做好了。和尚请水手们一起动手，把船上的泥沙都铲(chǎn)到黄河里去。船里的泥沙慢慢地减少，船身慢慢地向上浮，拴住铁牛的绳子越绷(bēng)越紧。船靠着水的浮力，把铁牛从淤泥里一点儿一点儿地向上拔(bá)。

　　船上的泥沙铲光了，铁牛也离开了河底。和尚不急着把铁牛捞上船，而是让水手们使劲把船划到岸边，再让许多人一齐用力，把水里的铁牛拖上了岸。

　　和尚用这样的办法，把八只笨重的铁牛，一只一只地拖了回来。

　　这个和尚名叫怀丙(bǐng)，是当时出色的工程(chéng)家。

sòng	fǔ	shuān	bèn	shàng	qián
宋	府	拴	笨	尚	潜

shéng	bǎng	chǎn	bá	bǐng	chéng
绳	绑	铲	拔	丙	程

思考·练习

1 默读课文，回答问题。

    (1) 怀丙和尚捞铁牛，做了哪四项准备工作？

    (2) 他是怎样把一只只铁牛捞起来的？

    (3) "铁牛是被水冲走的，我还叫水把它们送回
    来"这句话应怎样理解？

2 把课文分成四段，再从下面的内容中选择相应
  的段意。

    ( ) 拴浮桥用的铁牛陷在河底的淤泥里，一
    个和尚说他能把铁牛捞上来。

    ( ) 和尚利用水的浮力捞起一只只铁牛。

    ( ) 这个和尚叫怀丙，是出色的工程家。

    ( ) 和尚做捞铁牛的准备工作。

3 读下面的一段话，注意带点的词语，并想想句与句是怎样联系起来的。

　　　　和尚请水手们一起动手，把船上的泥沙都铲到黄河里去。船里的泥沙慢慢地减少，船身慢慢地向上浮，拴住铁牛的绳子越绷越紧。船靠着水的浮力，把铁牛从淤泥里一点儿一点儿地向上拔。

4 读读写写，并用带点的词语造句。

宋朝　笨重　熟悉　出色　工程家

浮桥　绳子　使劲　河中府　议论纷纷

5 朗读课文。

18　蝙(biān)蝠(fú)和雷达

预习

　　人类的许多创造发明，都是从动物身上得到启示的。善于在夜间飞行的蝙蝠，给人们什么启示呢?读读这篇课文，自学生字词，再想想蝙蝠夜间飞行靠的是什么,飞机夜航靠的是什么，它们之间有什么联系。

清朗的夜空出现两个亮点，越来越近，才看清楚是一红一绿的两盏灯。接着传来了隆隆声，这是一架飞机在夜航。

在漆黑的夜里，飞机怎么能安全飞行呢？原来是人们从蝙蝠身上得到了启示。

蝙蝠在夜里飞行，还能捕捉飞蛾(é)和蚊子；而且无论怎么飞，从来没见过它跟什么东西相撞，即(jí)使一根极细的电线，它也能灵巧地避(bì)开。难道它的眼睛特别敏锐，能在漆黑的夜里看清楚所有的东西吗？

为了弄清楚这个问题，一百多年前，科学家做了一次试验。在一间屋子里横七竖(shù)八地拉了许多绳子，绳子上系着许多铃铛(dāng)。他们把蝙蝠的眼睛蒙上，让它在屋子里飞。蝙蝠飞了几个钟(zhōng)头，铃铛一个也没响，那么多的绳子，

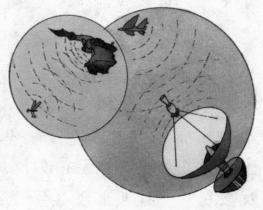

它一根也没碰着。

　　科学家又做了两次试验。一次把蝙蝠的耳朵塞(sāi)上，一次把蝙蝠的嘴封住，让它在屋子里飞。蝙蝠就像没头苍蝇似的到处乱撞，挂在绳子上的铃铛响个不停。三次不同的试验证明，蝙蝠夜里飞行，靠的不是眼睛，它是用嘴和耳朵配(pèi)合起来探路的。

　　科学家经过反复研究，终于揭开了蝙蝠能在夜里飞行的秘密。它一边飞，一边从嘴里发出一种声音。这种声音叫做超(chāo)声波，人的耳朵是听不见的，蝙蝠的耳朵却能听见。超声波像波浪一样向前推进，遇到障(zhàng)碍(ài)物就反射回来，传到蝙蝠的耳朵里，蝙蝠就立刻改变飞行的方向。

　　科学家摹(mó)仿蝙蝠探路的办法，给飞机装上了雷达。雷达通过天线发出无线电波，无线电波遇到障碍物就反射回来，显示在荧(yíng)光屏上。驾驶员从雷达的荧光屏上，能够看清楚前方有没有障碍物，所以飞机在夜里飞行也十分安全。

jí	bì	shù	zhōng	sāi	pèi
即	避	竖	钟	塞	配

chāo	zhàng	ài	mó	yíng
超	障	碍	摹	荧

思考·练习

1 默读课文，回答问题。

   (1) 科学家为了揭开蝙蝠夜间飞行的秘密，做了
      几次试验，都是怎样做的？试验证明了什么？

   (2) 蝙蝠是怎样用嘴和耳朵配合飞行的，请你用
      自己的话说一说。

2 根据课文内容填空。

   飞机上的雷达就像是蝙蝠的 ＿＿＿＿＿＿＿＿ 。

   雷达发出的无线电波就像蝙蝠 ＿＿＿＿＿＿＿ 。

   雷达的荧光屏就像是蝙蝠的 ＿＿＿＿＿＿＿ 。

3 把课文分成三段，在下面的内容中选择第二段
   的段意，用"√"表示。

   (1) 科学家做了三次试验。

   (2) 科学家通过试验证明，蝙蝠夜里飞行靠的
      不是眼睛。

(3) 科学家做了三次试验，结果证明，蝙蝠夜里飞行，靠的不是眼睛，而是用嘴和耳朵配合起来探路的。

4　读读写写，并用带点的词语造句。

启示　即使　反复　避开　摹仿　　荧光屏

障碍　敏锐　证明　揭开　超声波　横七竖八

5　朗读课文。

练笔

在老师的指导下，做一个科学小实验，然后把这个实验所用的材料和实验的经过写下来。使人看了，知道这个实验怎样做，结果是什么。

19　新型 (xíng) 玻璃

预习

玻璃，随处可见。你却不一定见到过这篇课文里讲到的种种玻璃。读了课文，你会对玻璃有一些新的认识。初读课文，自学生字新词，再想想课文讲了哪几种新型玻璃，它们有哪些特点和作用。

夜深了，从一座陈列珍贵字画的博(bó)物馆里，突然传出了急促(cù)的报警声。警察马上赶来，抓住了一个划破玻璃企(qǐ)图盗窃(qiè)展品的罪(zuì)犯(fàn)。你也许不会相信，报警的不是值夜班的看[kān]守，而是被划破的玻璃！这是一种特殊(shū)的玻璃，里面有一层极细的金属丝网。金属丝网接通电源(yuán)，跟自动报警器相连。罪犯划破玻璃，碰着了金属丝网，警报就响起来了。这种玻璃叫"夹丝网防盗玻璃"，博物馆可以采用，银行可以采用，珠宝店(diàn)可以采用，存放重要图纸、文件的建筑物也可以采用。

另一种"夹丝玻璃"不是用来防盗的。它非常坚硬，受到猛击仍安然无恙(yàng)；即使被打碎了，碎片仍然藕(ǒu)断丝连地粘(zhān)在一起，不会伤人。有些国家规定，高层建筑必须采用这种安全可靠的玻璃。

还有一种"变色玻璃"，能够对阳光起反射作用。建筑物装上这种玻璃，从室内看外面很清楚，从外面看室内却什么也瞧不见。变色玻璃还会随着阳光的强弱而改变颜色的深浅(qiǎn)，调(tiáo)节室内的光线。所以人们把这种玻璃叫做"自动窗帘"。

有人想，窗子上的玻璃要是能使房间里冬暖夏凉，那该多好!这样的玻璃早就问世了，就是"吸热玻璃"。在炎(yán)热的夏天，它能阻(zǔ)挡强烈的阳光，使室内比室外凉爽；在严寒的冬季，它把冷空气挡在室外，使室内保持温暖。

噪(zào)音像一个来无影去无踪(zōng)的"隐身人"，不像烟尘和废(fèi)水那样可以集中起来处理。尽管这位"隐身人"难以对付(fu)，人们还是想出了许多制服它的办法。"吃音玻璃"就是消除噪音的能手。临街的窗子上如果装上这种玻璃，街上的噪音为40分贝时，传到房间里就只剩下12分贝了。

在现代化的建筑中，新型玻璃正在起着重要作用；在新型玻璃的研制中，人们将会创造出更多的奇迹。

xíng	cù	zuì	fàn	diàn	yàng	zhān
型	促	罪	犯	店	恙	粘

qiǎn	tiáo	yán	zǔ	zōng	fèi	fù
浅	调	炎	阻	踪	废	付

思考·练习

1 仿照例子，根据课文内容填写下面的表格。

新型玻璃名称	特　　　点	作　用
夹丝网防盗玻璃	玻璃中夹一层金属丝网	防　盗

2 读一读，并用带点的词语写句子。

(1) "夹丝网防盗玻璃"博物馆可以采用，银行可以采用，珠宝店可以采用，存放重要图纸、文件的建筑物也可以采用。

(2) 在炎热的夏天，"吸热玻璃"能阻挡强烈的阳光，使室内比室外凉爽；在严寒的冬季，"吸热玻璃"把冷空气挡在室外，使室内保持温暖。

3 读读写写。

新型 调节 罪犯 阻挡 炎热 无影无踪
创造 对付 急促 废水 深浅 安然无恙

4 朗读课文。

20* 一次科技活动

预习

你喜欢参加课外小组的活动吗?课外小组活动既能长知识，又能练本领。读一读课文，想想谁在什么时间、什么地点组织(zhī)这次科技活动，活动的主要内容是什么。

少年宫组织(zhī)的航海、航空模型表演，今天在人民公园先锋湖举行。我赶到的时候，湖岸上已经聚(jù)集了从很多学校来的少先队员。指挥台上摆着各式各样的飞机和舰艇(tǐng)的模型，都是各校的少先队员在辅(fǔ)导员的帮助下做成的。

九点钟，指挥台宣(xuān)布表演开始。两个少先队员把一艘(sōu)二尺来长的气垫(diàn)船放下水。随着螺旋桨的转动，气垫船划开水面向前冲去。接着，船底喷出强大的气流，气垫船就离开了水面，像离弦的箭一样向前飞驰(chí)。

一个参加表演的同学，通过扩(kuò)音器告诉观众：真的气垫船不但能在水上航行，还能在雪地和沼(zhǎo)泽(zé)上航行，能越过壕(háo)沟，还能沿着山坡向上攀登。

小小的气垫船又快又稳，在波光粼(lín)粼的湖面上奔驰着。我边看边想：他们能做成这么好的气垫船，真了不起！

气垫船刚上岸，一架无线电遥控(kòng)

的小飞机起飞了。飞机在空中灵活地做着各种动作：时而盘旋上升，时而俯冲下降，时而翻着跟头，时而侧身飞行……我目不转睛地望着，心想，要是我也能操纵(zòng)这么一架飞机，该多好啊。

随着嗡(wēng)嗡的响声，又一架小飞机起飞了。它飞着飞着，接连投下好些小降落伞。每个伞上都挂着一条标语，有的写着"从小爱科学学科学"，有的写着"向科学技术现代化进军"……降落伞像撒

在天空的一朵朵鲜花，徐(xú)徐下降。场上的小观众都仰(yǎng)着头，跳着，笑着，爆发出一阵阵热烈的掌声和欢呼声。

我们还观看了"军舰发射鱼雷""飞机打气球"等好多项(xiàng)精彩表演，都有趣极了。

表演结束的时候，指挥台上宣布了下一次科技活动的内容和时间。啊，该轮到我们无线电收发报小组表演了。我盼望着那一天赶快到来。

思考·练习

1　阅读课文，回答问题。

　(1) 气垫船模型下水后，是怎样航行的?真的气垫船有什么本领?

　(2) 小飞机是用什么操纵的?两架小飞机作了什么不同的表演?

2　按"表演之前""表演的情况"和"表演之后"的顺序给课文分段，并说说每段的段落大意。

3　朗读课文。

读写例话

归纳段落大意

归纳段落大意能帮助我们抓住每段的重点。怎样归纳段意呢?一般地说，一个自然段就是一段的，要抓住重点句来归纳段意；几个自然段合起来成为一段的,要舍弃(qì)次要内容，抓住主要内容。

比如《捞铁牛》，全文分成四段。第一段为第一、二自然段，讲黄河发大水，冲断了河上的浮桥，八只拴浮桥用的铁牛陷在河底的淤泥里，重修浮桥的时候，一个和尚说他可以把铁牛捞上来。这么多内容，主要说的是拴浮桥用的铁牛陷在河底的淤泥里，一个和尚说他能把铁牛捞上来。这就是第一段的段意。第三自然段是第二段，用四句话讲了和尚所做的捞铁牛的四项准备工作。这段的段意也就不难归纳了。第三段包括第四、五、六自然段，讲了三方面的内容：把船里的泥沙铲到河里去，靠水托船身的浮力，铁牛从淤泥里慢慢向上拔；铁牛离开了河底，用船把铁牛拖上了岸；用同样的办法，把一只只铁牛捞上来。抓住其中的主要意思，这段段意可以概括为：和尚利用水的浮力捞起一只只铁牛。第四段为最后一个自然段，把课文中的话稍(shāo)加改动，就可以作为这段的段意。

基础训练 5

字·词·句

一 读一读，注意读准声调。

tōng zhī　xiān qǐ　zhǐ huī　mó fǎng

通知　掀起　指挥　摹仿

tóng zhì　xián qì　zhì huì　mò fáng

同志　嫌弃　智慧　磨房

二 比一比，再组成词语写下来。

宾（　）　张（　）　蓬（　）　棕（　）
滨（　）　涨（　）　篷（　）　踪（　）

堤（　）　盼（　）　浅（　）　拔（　）
提（　）　扮（　）　线（　）　拨（　）

下面每组的五个词中，有四个是同类的，找出不是同类的一个。

1 黄色　　蓝色　　颜色　　红色　　绿色
2 农民　　工人　　猎人　　老人　　教师
3 姑姑　　表哥　　爷爷　　奶奶　　同学

四　照样子，写句子。

例：东郭(guō)先生牵着毛驴(lú)在路上走。

东郭先生在路上走。

东郭先生走。

1　小象在晨雾中缓缓地走来。

2　小鸟在树枝上自由自在地叫。

五　给下面一段话加上标点。

马克思曾经说过　在科学上没有平坦的大道　只有不畏(wèi)劳苦沿着陡峭(qiào)山路攀登的人　才有希望达到光辉的顶点　这是多么深刻的教诲啊　难道不值得我们永远牢记吗

 听话·说话

你一定学做过许多有趣的小制作。比如：飞机舰船模型、年历卡、剪纸、泥人。从做过的小制作中，选择一件你喜欢的，回忆一下制作的过程。想好了对同学们说一说。说的时候，把用什么材料，是怎样一步一步做出来的说清楚。语句要完整、通顺、连贯。

认真阅读下面的短文，把短文分成三段，写出每段的段意；找出描写邓 (dèng) 爷爷的句子和邓爷爷说的话读一读，并说说读后的感想。

2月16日，是我最难忘的日子，因为这天我要为邓小平爷爷作电子计算机表演。我冒着严寒，快步来到了工业展览馆。想到马上就要见到邓爷爷，紧张和激动使我的心怦 (pēng) 怦地跳个不停。

邓爷爷来啦！他带着慈祥的微笑向我走来。我连忙敬了个队礼，说："邓爷爷，您好！"邓爷爷高兴地点点头，和我亲切握手。邓爷爷和蔼可亲的样子，使我紧张的心情一下子就平静下来了。我沉着地操纵 (zòng) 着计算机，顺利地打出各种变化的图形来。邓爷爷仔细地看了我的表演，脸上露出了满意的笑容。

表演过后，邓爷爷还亲切地问了我的年龄 (líng)，当我回答是10岁时，邓爷爷赞许地再一次和我握手，并对身边的人说："计算机的普及要从娃娃做起。"

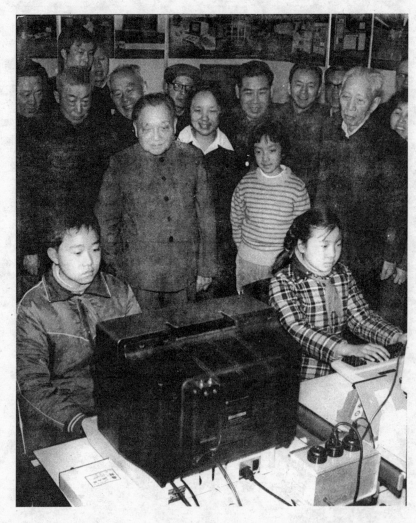

　　离开展览馆，我兴奋地走在回家的路上。天，仿佛格外的蓝；阳光，仿佛更加灿烂。我忘不了这一天，忘不了肩上担负的责(zé)任。

作文

　　你和老师、同学或亲人、邻居在一起的时候，会发生很多事情，请你选择一件印象最深的事写下来。写的时候，要把事情的经过写清楚，写具体，语句要通顺、连贯。

第 六 组

导读

　　本组有三篇课文。《西门豹(bào)》《科利亚的木匣(xiá)》是讲读课文,《陶罐和铁罐》是阅读课文。

　　学习这组课文,要继续运用给课文分段、归纳段落大意的方法,理解课文内容,并受到破除迷信、相信科学、遇事要动脑筋以及要全面地看问题等方面的教育。

21 西门豹(bào)

预习

　　西门豹是古时候的一个地方官。他来到邺(yè)这个地方，为老百姓做了许多好事。这篇课文讲的就是其中的一件。读读课文，要读准字音，自学生字新词，想想课文叙(xù)述的这件事的起因、经过和结果。

　　战国时候，魏王派西门豹去管理漳(zhāng)河边上的邺(yè)。西门豹到了那个地方，看到田地荒(huāng)芜(wú)，人烟稀少，就找了位老大爷来，问他是怎么回事。

　　老大爷说："都是河伯娶(qǔ)媳(xí)妇给闹的。河伯是漳河的神，每年要娶一个年轻漂亮的姑娘。要不给他送去，漳河就要发大水，把田地全淹了。"

　　西门豹问："这话是谁说的？"

　　老大爷说："巫(wū)婆(pó)说的。地方上的官绅(shēn)每年出面给河伯办喜事,硬逼(bī)着老百姓(xìng)出钱。每闹一次,他们要收几百万钱;办喜事只花二三十万,多下来的就跟巫婆分了。"

西门豹问:"新娘是哪儿来的?"

老大爷说:"哪家有年轻的女孩子,巫婆就带着人到哪家去选(xuǎn)。有钱的人家花点儿钱就过去了,没钱的只好眼睁睁地看着女孩儿被他们拉走。到了河伯娶媳妇那天,他们在漳河边上放一条苇席,把女孩儿打扮好了,让她坐在苇席上,顺着水漂(piāo)去。苇席先还是浮着的,到了河中心就连女孩儿一起沉下去了。有女孩儿的人家差不多都逃到外地去了,所以人口越来越少,这地方也越来越穷。"

西门豹问:"那么漳河发过大水没有呢?"

老大爷说:"没有发过。倒是夏天雨水少,年年闹旱(hàn)灾。"

西门豹说:"这样说来,河伯还真灵啊。

下一回他娶媳妇，请告诉我一声，我也去送送新娘。"

到了河伯娶媳妇的日子，漳河边上站满了老百姓。西门豹带着卫士，真的来了，巫婆和官绅急忙迎接。那巫婆已经七十多岁了，背后跟着十来个穿着绸(chóu)褂(guà)的女徒(tú)弟。

西门豹说："把新娘领来让我看看。"巫婆叫徒弟把那个打扮好的姑娘领了来。西门豹一看，女孩满脸泪水。他回过头来对巫婆说："不行，这个姑娘不漂亮，河伯不会满意的。麻烦(fan)你去跟河伯说一声，说我要选个漂亮的，过几天就送去。"说完，他叫卫士抱起巫婆，把她投进了漳河。

巫婆在河里扑腾了几下就沉下去了。等了一会儿，西门豹对官绅的头子说："巫婆怎么还不回来，麻烦你去催(cui)一催吧。"说完，又叫卫士把官绅的头子投进了漳河。

西门豹面对着漳河站了很久。那些官绅都提心吊胆，连气也不敢出，西门豹回过头

来，看着他们说："怎么还不回来，请你们去催催吧！"说着又要叫卫士把他们扔下漳河去。

官绅一个个吓得面如土色，跪 (guì) 下来磕 (kē) 头求饶，把头都磕破了，直淌 (tǎng) 血。西门豹说："好吧，再等一会儿。"过了一会儿，他才说："起来吧。看样子是河伯把他们留下了。你们都回去吧。"

老百姓都明白了，巫婆和官绅都是骗钱害人的。从此，谁也不敢再提给河伯娶媳妇，漳河也没有发大水。

西门豹发动老百姓开凿 (záo) 了十二条渠 (qú) 道，把漳河的水引到田里。庄稼得到了灌 (guàn) 溉 (gài)，年年都得到了好收成。

huāng	wú	pó	bī	xìng	xuǎn	hàn
荒	芜	婆	逼	姓	选	旱

chóu	tú	fán	guì	qú	guàn	gài
绸	徒	烦	跪	渠	灌	溉

思考·练习

1 默读课文，回答问题。

　　(1) 西门豹到了邺这个地方，看到田地荒芜，人烟稀少，向一位老大爷调查。他问了哪四个问题?从老大爷的回答中了解到哪些情况?

　　(2) 西门豹是怎样破除河伯娶媳妇的迷信的?

2 根据"摸清底细""破除迷信""兴修水利"的线索，给课文分段，说说各段段意。

3 读下面的句子，注意带点的词语，并联系上下文，说说句子的意思。

　　(1) 西门豹说："这样说来，河伯还真灵啊。下一回他娶媳妇，请告诉我一声，我也去送送新娘。"

　　(2) 西门豹对巫婆说："不行，这个姑娘不漂亮，河伯不会满意的。麻烦你去跟河伯说一声，说我要选个漂亮的，过几天就送去。"

　　(3) 等了一会儿，西门豹对官绅的头子说："巫婆怎么还不回来，麻烦你去催一催吧。"

4 读读写写。

荒芜　麻烦　渠道　跪下　眼睁睁　提心吊胆

旱灾　徒弟　灌溉　老百姓　人烟稀少　面如土色

5 朗读课文。

22 科利亚的木匣 (xiá)

预习

生活中的事往往能给人以启发。围绕着科利亚的木匣发生的事就很值得我们认真思考。读读课文，自学生字词，想想这篇课文讲了一件什么事，哪些自然段讲的是相同或相近的意思。

战争开始的时候，科利亚刚学数数，只会数到十。他从家门口开始走，数了十步，就用铲子挖起坑来。

坑挖好了，他把一个木匣放进坑里。木匣里盛着各种各样好玩的东西，有冰鞋、小斧头、小手锯和其他小玩意儿。他放好了木匣，盖上土，用脚踩实，还在上面撒了一层细沙，免得被人发现。

科利亚干吗要把这些东西埋起来呢？因

这篇课文的作者是原苏联作家左琴科。

为德(dé)国法西斯快打到他们的村子了。科利亚和妈妈、奶奶决定离开村子，到喀(kā)山城去躲避。家里的东西不能都带走。妈妈把有些东西放进箱(xiāng)子里，从家门口起，走了三十步，把箱子埋在地下。科利亚只会数到十，就量[liáng]了十步，埋下了他的木匣。

就在那一天，妈妈、奶奶带着科利亚到喀山去了，在那儿住了差不多四个年头。科利亚长大了，上了小学，数数能数到一百多了。

法西斯终于被赶走了。妈妈、奶奶带着科利亚回到了故乡。他们家的房子还在，屋里的东西却被法西斯抢走了。

妈妈说："不用难过，我们还有一些东西埋在地下哩(li)。"

妈妈从家门口朝菜园走了三十步，挖出了她埋的箱子。她高兴地说："算术真有用。如果当初我随便挖个坑把箱子埋了，现在就不好找了。"

科利亚也拿来铲子，从家门口起量了十

步，动手挖起来。他挖呀，挖呀，坑已经挖得很深了，还没找到匣子。他又朝左边挖，朝右边挖，仍然没找到。

小伙伴们围上来，都朝着科利亚笑："你的算术不管事啦！也许，法西斯把你的宝贝挖走了。"

科利亚说："不会的，敌人连我们家的大箱子都没挖走，还能找到我的小木匣吗。这里面一定有原因。"

科利亚丢下铲子，坐在台阶上，用手摸

着脑门儿想。突然他笑起来，对小伙伴们说："我知道是怎么回事啦！木匣是我四年前埋的，那时候我还小，步子也小。我现在九岁啦，步子比那时候大了一倍(bèi)，所以应该量的不是十步，而是五步。你们看，我马上会找到我的木匣子。"

科利亚量了五步，又动手挖起来，不多一会儿，他果然找到了木匣子。

科利亚高兴地说："伙伴们，今天我不光找到了匣子，还懂得了时间一天天过去，人一天天长大，步子也在渐渐变大。周围的一切，不是都在起变化么？"

xiá	dé	xiāng	li	bèi
匣	德	箱	哩	倍

思考·练习

1 默读课文，回答问题。

　(1) 科利亚和妈妈是在什么时候、怎样把东西埋起来的？

　(2) 他们在什么时候挖埋藏的东西？从埋东西到挖东西中间经过多长时间？

　(3) 妈妈为什么能很快挖出箱子？科利亚为什么开始没有挖到匣子，后来又为什么挖着了？这件事对你有什么启发？

2 按照埋木匣→挖木匣→受到启发的顺序，给课文分段，归纳各段段意。

3 读下面的句子，注意带点的词语，并用"仍然""果然"造句。

　(1) 科利亚把坑已经挖得很深了，还没找到匣子。他又朝左边挖，朝右边挖，仍然没找到。

　(2) 科利亚量了五步，又动手挖起来，不多一会儿，他果然找到了木匣子。

　(3) 科利亚不光找到了匣子，还懂得了周围的一切都在起变化。

　(4) 妈妈高兴地说："算术真有用。如果当初我随便挖个坑把箱子埋了，现在就不好找了。"

4 读读写写。

　　木匣　　德国　　周围　　当初

　　箱子　　躲避　　一倍　　也许

5 朗读课文。

23*　陶(táo)罐和铁罐

预习

　　课文讲的是发生在陶罐和铁罐之间的有趣故事。读读课文，自学生字新词，想一想读了这个故事你懂得了什么。

　　国王的御(yù)厨里有两只罐子，一只是陶的，一只是铁的。骄(jiāo)傲(ào)的铁罐看不起陶罐，常常奚(xī)落它。

　　"你敢碰我吗?陶罐子!"铁罐傲慢地问。

　　"不敢，铁罐兄弟。"谦(qiān)虚(xū)的陶罐回答。

　　"我就知道你不敢，懦(nuò)弱的东西!"

铁罐说，带着更加轻蔑(miè)的神气。

"我确实不敢碰你，但并不是懦弱。"陶罐争辩说，"我们生来就是给人们盛东西的，并不是来互相碰撞的。说到盛东西，我不见得比你差。再说……"

"住嘴!"铁罐恼(nǎo)怒了，"你怎么敢和我相提并论!你等着吧，要不了几天，你就会破成碎片，我却永远在这里，什么也不怕。"

"何必这样说呢?"陶罐说，"我们还是和睦(mù)相处 [chǔ] 吧，有什么可吵(chǎo)的呢!"

"和你在一起，我感到羞(xiū)耻(chǐ)，你算什么东西!"铁罐说，"我们走着瞧吧，总有一天，我要把你碰成碎片!"

陶罐不再理会铁罐。

时间在流逝(shì)，世界上发生了许多事情，王朝覆(fù)灭了，宫殿倒塌了。两只罐子遗落在荒凉的场地上，上面覆盖了厚厚的渣滓(zǐ)和尘土。

许多年代过去了，有一天人们来到这里，掘(jué)开厚厚的堆积物，发现了那只陶罐。

"哟(yō)，这里头有一只罐子！"一个人惊讶地说。

"真的，一只陶罐！"其他的人都高兴得叫起来。

捧起陶罐，倒掉里面的泥土，擦洗干净，和它当年在御厨的时候一样光洁，朴(pǔ)素(sù)，美观。

"多美的陶罐！"一个人说，"小心点，千万别把它碰坏了，这是古代的东西，很有价值的。"

"谢谢你们！"陶罐兴奋地说，"我的兄弟铁罐就在我旁边，请你们把它掘出来吧，它一定闷得够受了。"

人们立即动手，翻来覆去，把土都掘遍了。但是，连铁罐的影子也没见到。它，不知道在什么年代完全氧(yǎng)化，早已无踪无影了。

思考·练习

1 阅读课文，回答问题。

　(1) 铁罐是怎样奚落陶罐的?它为什么看不起陶罐?

　(2) 许多年过去了,陶罐和铁罐发生了什么变化?

　(3) 这则寓言告诉我们什么道理?

2 分角色朗读课文。

基础训练 6

 字·词·句

一 读词语，注意带点字的音。

lūn qǐ　chuǎn qì　huāng wú　qú dào
抢 起　喘 气　荒 芜　渠 道

shù lín　zhàn lì　háng xíng　máo lǘ
树 林　站 立　航 行　毛 驴

二 找出下面句子里用错的字，把正确的写在括号里。

1 儿童团员在坚苦的环镜里仍然刻苦学习。

（　　　　）

2 老师的教悔我将永远纪在心上。

（　　　　）

3 一只小鸟在据离我很进的地方停了下来。

（　　　　）

三　写出下面词语的近义词。

料理　渴望　漂亮　清朗　屹立　渐渐

—— —— —— —— —— ——

四　写出下面词语的反义词。

难过　轻巧　减少　安全　破坏　炎热

—— —— —— —— —— ——

五　读句子，并用带点的词语造句。

1 凤凰树开了花，开得那么热闹，小城好像笼罩在一片片红云中。

2 浪潮越来越近，犹如千万匹白色战马齐头并进，浩浩荡荡地飞奔而来。

　**阅读**

认真阅读下面的短文，说说赵奢(shē)为什么说赵括没有真本领，不能当大将 [jiàng]，后来的事实怎样；读了这个故事你懂得了什么。

古时候，赵国有个人叫赵括，他是名将赵奢的儿子。赵括从小就读了很多兵书，提起用兵作战来，高谈阔论，滔滔不绝，连他父亲也辩论不过他。

赵括自以为能用兵如神，天下无敌，可是他父亲总说他只会说空话，没有真本领，不会用兵，更不能当大将。

赵奢死后，有一次秦(qín)国进攻赵国。赵王任命赵括做大将。有人劝赵王说："赵括兵书虽然读得很熟，但是不会灵活运用。"赵王不听。

赵括接受兵权(quán)后，不根据实际情况，生搬硬套(tào)兵书上的条文，制定作战方案。不久赵军被秦军围住，终于全军覆没，赵括也在交战中阵亡。

作文

学写书信。

红红表姐：

　　你好，好久没见面了，姑父、姑母都好吗？

　　告诉你一个好消息，上星期天，我家搬进新楼里啦！全家四口再也不用挤在十平方米的小天地里吃饭、睡觉 [jiào]、学习、工作了。我自己也有了个小房间。

　　我的房间空气流通，阳光充足。夜晚，月光照进来，像给我的房间披上了一层薄纱。

　　你还记得我家的那张旧书桌吗？它虽然很普通，我对它却有特殊的感情。我把它搬进我的房间，让它陪伴我读书、做作业。

　　时间不早了，就写到这里。

　　祝你

学习进步！

表妹

石秋

×年×月×日

信的开头写称呼，要顶格写。称呼后面要加冒号。

信的正文另起一行写，每段开头空两个格。要先写问候的话，再把要说的事情一件一件往下写，最好每件事写一段。

正文写完了，要另起一行写上"祝你健康"等祝福的话。

最后写上名字和日期。名字写在右下方，上面可以写上"弟""妹"等称呼。日期写在名字的下一行。

信写完了，还要写信封。别忘了一定写上收信人和寄信人的邮(yóu)政编码。把信封好，贴足邮票，信就可以寄出去了。

信封的左上方写收信人的邮政编码，上方写收信人的地址(zhǐ)，中间写收信人的姓名，姓名要写得大些。信封的右下方写寄信人的地址、姓名和邮政编码。

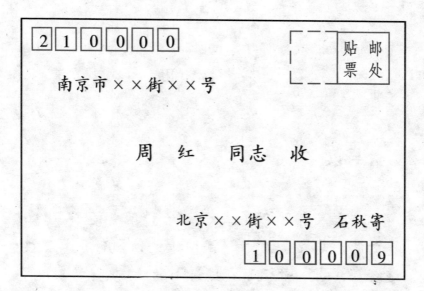

　　请你按照书信的格式给不常见面的亲戚(qi)、朋友写一封信，把家里或学校最近发生的一件事告诉他。写好后，自己把信寄出去。

第 七 组

导读

　　本组安排了三篇课文。《古诗两首》和《爬山虎的脚》是讲读课文,《课间十分钟》是阅读课文。这些课文有的歌颂了祖国河山的壮美,有的表现了植物的神奇,有的反映了学生课间活动的丰富多采。

　　这是本学期最后一组教材。除了要从读学写,训(xùn)练围绕一个意思写片段之外,要复习巩(gǒng)固本学期学到的读和写的基本功,使阅读能力和作文能力得到提高。

24　古诗两首

预习

你喜欢大自然吗?随着唐 (táng) 代诗人李白、杜牧的足迹,领略长江三峡和深秋山林的风光,你一定会更加热爱祖国的壮丽山河。读读这两首古诗,查字典理解词句,想想这两首诗分别描绘了怎样的画面。

早发白帝 (dì) 城

朝辞 (cí) 白帝彩云间,
千里江陵一日还。
两岸猿 (yuán) 声啼不住,
轻舟已过万重山。

本诗作者是唐代诗人李白。

山 行

远上寒山石径 (jìng) 斜 (xié)，
白云生处有人家。
停车坐爱枫林晚，
霜叶红于二月花。

dì	cí	yuán	jìng	xié
帝	辞	猿	径	斜

本诗作者是唐代诗人杜牧。

1　《早发白帝城》表达了作者怎样的心情,从哪些地方可以看出来?

2　《山行》描写的是哪个季节的景色,你是怎么知道的?

3　讲讲带点的词,说说下面诗句的意思。

　　(1) 朝辞白帝彩云间,千里江陵一日还。

　　(2) 停车坐爱枫林晚,霜叶红于二月花。

4　朗读课文。默写课文。

25　爬山虎的脚

预习

　　刚看到课文的题目,你也许会问,爬山虎是动物吗?不然,怎么会有脚呢!其实,爬山虎是一种植物。读读课文,自学生字词,想想爬山虎的脚是什么样儿的?是怎样一脚一脚地在墙上爬的。如果你家或学校附近有爬山虎,去观察一下,试着找一找爬山虎的脚。

────────

　　这篇课文的作者是著名作家叶圣陶。

学校操场北边墙上满是爬山虎。我家也有爬山虎，从小院的西墙爬上去，在房顶上占了一大片地方。

爬山虎刚长出来的叶子是嫩红的，不几天叶子长大，就变成嫩绿的。爬山虎的嫩叶不大引人注意，引人注意的是长大了的叶子。那些叶子绿得那么新鲜，看着非常舒服，叶尖一顺儿朝下，在墙上铺得那么均匀，没有重叠起来的，也不留一点儿空隙(xì)。一阵风拂(fú)过，一墙的叶子就漾(yàng)起波纹，好看得很。

以前我只知道这种植物叫爬山虎，可不知道它怎么能爬。今年我注意了，原来爬山虎是有脚的。爬山虎的脚长在茎上。茎上长叶柄(bǐng)的地方，反面伸出枝状的六七根细丝，每根细丝像蜗(wō)牛的触角。细丝跟新叶子一样，也是嫩红的。这就是爬山虎的脚。

爬山虎的脚触着墙的时候，六七根细丝的头上就变成小圆片，巴住墙。细丝原先是直的，现在弯曲了，把爬山虎的嫩茎拉一把，使它紧贴在墙上。爬山虎就是这样一脚一脚

地往上爬。如果你仔细看那些细小的脚，你会想起图画上蛟(jiāo)龙的爪子。

爬山虎的脚要是没触着墙，不几天就萎(wěi)了，后来连痕迹也没有了。触着墙的，细丝和小圆片逐渐变成灰色。不要瞧不起那些灰色的脚，那些脚巴在墙上相当牢固，要是你的手指不费一点儿劲，休想拉下爬山虎的一根茎。

xì	fú	yàng	bǐng	wěi
隙	拂	漾	柄	萎

思考·练习

1 默读课文，回答问题。

   (1) 爬山虎的叶子是什么样儿的？

   (2) 爬山虎的脚长在哪里，是什么样儿的？它是怎样在墙上爬的？

   (3) 爬山虎的脚要是没触着墙，会变成什么样儿？触着墙的，后来变成什么样儿？

2 说说课文围绕爬山虎的脚，先讲了什么，再讲了什么，最后讲了什么。

3 按课文内容填空。

    那些叶子绿得那么（   ），看着非常（ ），叶尖一顺儿朝下，在墙上铺得那么（   ），没有重叠起来的，也不留一点儿（   ）。一阵风（   ），一墙的叶子就（   ），好看得很。

4 读读写写。

   舒服   空隙   漾起   叶柄   嫩茎

   均匀   拂过   弯曲   萎了   休想

5 朗读课文。背诵第二至第四自然段。

26* 课间十分钟

预习

课间十分钟你们都开展哪些活动？读读课文,想想课文描写的场面在你们身边是不是也经常出现。读的时候,要一边读一边想,看看课文主要讲了哪几项(xiàng)活动。

下课铃响了,同学们快步走出教室,到操场上参加自己喜爱的课间活动。校园里顿时沸腾起来。

校园的东墙边,有一张乒乓球台。球台的四周围满了同学,不时传来喝[hè]彩声和欢笑声。乒乓小将[jiàng]们打得多认真啊!他们你推我挡,一个球常常打了十几个回合还不分胜负。

球台右边的大槐树下,也围着一些同学。他们在爬竿。一个大同学刚从竿上滑下来,一个小同学纵(zòng)身一跃,用力抓住竹

竿，像敏捷(jié)的猴子，迅速地爬了上去。不一会儿，他就爬到了竿顶。多高兴啊，他笑着向下张望。

"丢沙包"是同学们十分喜爱的活动。操场的西墙边，这一组，那一组，玩得多带劲儿!两头丢包的同学密切合作，向中间的同学发动猛攻。中间躲包的同学非常沉着，眼睛盯着沙包飞来的方向，左躲右闪，蹦来跳去。沙包飞来了，只见这个同学轻巧地一抬腿，沙包嗖(sōu)地从裤腿边飞了过去。沙包又从背后飞来了，她猛一转身来个海底捞月，抓住了沙包。他们蹦啊跳啊，心里多么欢畅(chàng)。

课间活动真是丰富多采。看，操场中间，有的跳皮筋儿，有的跳绳，有的踢(tī)毽(jiàn)子。最有趣的是一年级的小同学，他们由老师带着，在做老鹰捉小鸡的游戏呢。

思考·练习

1 课文主要讲了三项课间活动，是哪三项活动？
2 课文是怎样具体地写爬竿和丢沙包这两项活动的？请用自己的话说一说。

练笔

写一项你喜爱的课间活动，要写清楚玩法，表达出同学的愉快心情，语句要完整、通顺、连贯。

读写例话

围绕一个意思写好片段

写好片段是写好作文的基础。

怎样才能做到围绕一个意思写好片段呢?首先,要想好自己要写的是什么;然后根据自己要写的意思选择好内容;再想想这些内容按怎样的顺序来写,才能表达得更清楚。比如《爬山虎的脚》这篇课文,作者要告诉我们:爬山虎的脚是什么样儿的,它是怎样在墙上爬的。为了说清楚这个意思,作者按照观察爬山虎的脚的顺序讲了这样几个内容:爬山虎的脚长在哪里,是什么样儿的;它的脚是怎样巴住墙往上爬的;触着墙和没触着墙的脚会发生什么变化。我们读了不仅了解有关爬山虎的脚的知识,而且好像亲眼看到了满墙绿绿的爬山虎,看到了爬山虎的脚巴在墙上一点儿一点儿往上爬的情景。

写片段不同于写整篇的作文,可以不讲究开头、结尾,不求其完整,只要把想说的那一部分意思说清楚就可以了。

基础训练 7

 字·词·句

一 读下面的绕口令，看谁读得既准又快。

chē shàng fàng zhe yí gè pén
车 上 放 着 一 个 盆，

pén li fàng zhe yí gè píng
盆 里 放 着 一 个 瓶。

pēng pēng pēng pēng pēng pēng
砰 砰 砰，砰 砰 砰，

píng pèng pén pén pèng píng
瓶 碰 盆，盆 碰 瓶，

bù zhī shì píng pèng le pén
不 知 是 瓶 碰 了 盆，

hái shì pén pèng le píng
还 是 盆 碰 了 瓶。

二 读一读，说说每组句子中带点词语的意思有
什么不同。

1 为了使他不再纠缠，我答应买一盒。

这些问题纠缠在一起，很难解决。

2 情况确实很严重。

　　我们学校要建新的教学楼的消息很确实。

三　填空，再写出几个成语。

　　全神（　）注　　（　）山遍野　　金（　）辉煌
　　目不转（　）　　　山（　）地裂　　安然无（　）

　　────────　　────────　　────────

　　────────　　────────　　────────

四　修改病句，并加上标点。

　　1 爸爸在灯光下
　　2 透过玻璃照在桌子上　　屋里显得暖融融的
　　3 你仔细看爬山虎细小的脚　　就会想起图画

　　　　听话·说话

　　一天晚上，爸爸妈妈去商店买东西，小磊(lěi)一个人在家看电视。正在这时候，有人敲门，来人是爸爸的同事王叔叔。想一想小磊会怎样接待客人。假如你是小磊会怎样说，怎样做。想好了说一段话，要把意思讲清楚，还要用上礼貌用语。

阅读

认真阅读下面的短文,把短文分成三段,写出各段段意,并说说这篇短文主要讲了一件什么事。

星期天,我去大姨家玩。出门时,忽然想起叔叔送给我的电子娃娃。对!把它也带去,让大姨看看。这个电子娃娃个儿很大,活像一个真娃娃。它嘴里叼着个奶头儿。谁要是一把奶头拔掉,它就哇哇大哭起来。

我抱着娃娃挤上汽车,一没留意,把娃娃嘴里的奶头儿给挤掉了。呜(wū)哇,呜哇……娃娃放声大哭。我吓得连忙弯下身子,寻找掉在地上的奶头儿。

"谁让个座位给抱孩子的小妹妹坐?"售(shòu)票员阿姨大声说。

我不好意思地说:"我抱的不是真娃娃,是个电子娃娃。"说着,我把捡起的奶头儿塞进它嘴里,娃娃的哭声马上止住了。周围的人都哈哈大笑起来。

到了大姨家,我把车上的事说给大姨听。她也不禁(jìn)大笑起来，张开双手，说："快让我抱抱这个小客人吧！"

 作文

一 把下面排列错乱的句子按一定顺序调整好。

（　　）晚上，我做了个梦：向日葵长得又高又大，一个个圆圆的脑袋，就像大盘子，开出金黄的花儿……

（　　）星期天，爸爸给我一角钱，让我做一件有意义的事。

（　　）过了几天，向日葵苗真的长出来了，一棵棵绿油油的。

（　　）我用一角钱买了葵花籽(zǐ)，种在院子里，周围还扎 [zā] 了篱笆。

二 在学校里，在上学的路上，在市场、商店或公园里，经常可以看到一些有意义或有意思的场景。请从中选择一个你印象最深的场面，写一个片段。要围绕一个意思来写，内容要具体，语句要通顺、连贯。

生 字 表

看图学文

	bì	bǎo	zhuāng	hú	chú	mù	yù
1	蔽	堡	桩	壶	厨	沐	浴
	jiā	gǎo	cān	guàn	yǔ	dìng	é
	夹	稿	餐	贯	与	订	俄
	shú	lǔ	shào	yàn	jiè	shòu	háo
2	塾	鲁	绍	砚	戒	寿	毫
	chí						
	弛						

课文

	yí	chí	shuā	chāo	yìn	sǎng	xū
3	移	持	刷	抄	印	嗓	须
	hèn	dàn	hōng	lóng	bào	zhēng	ruò
	恨	弹	轰	隆	爆	睁	弱
	yì	yíng	lí	lǚ	qǐ	fù	bào
5	役	营	黎	屡	启	负	暴

tā	yūn	guī	táng	chóu		
塌	晕	规	膛	仇		

	jiū	chán	tāo	qǐ	shì	yà	jī
6	纠	缠	掏	乞	侍	轧	饥

zhì
质

	jiāng	zhèng	zào	xī	dàn	jiǎo	chóu
7	浆	挣	灶	夕	旦	饺	筹
	xiàn	zhài	wèi	shū	chuǎng	zhì	jué
	限	债	胃	舒	闯	至	绝

	lú	chuān	lù	hán	wú		
9	庐	川	鹭	含	吴		

	diàn	láng	qī	zāi	kūn	shuǎng	gé
10	殿	廊	漆	栽	昆	爽	阁
	huáng	cōng	yù	zhū	dī	diāo	shǎng
	煌	葱	郁	朱	堤	雕	赏

	lún	yáo	pān	mǔ	dié	mǔ	yǎo
11	仑	瑶	潘	亩	碟	拇	舀
	sǔn	qiū	jùn	chǔ			
	笋	丘	峻	矗			

	zhèn	zhào	tíng	yì	ruò	áng	pàn
13	镇	罩	亭	屹	若	昂	盼
	zhú	bēng	chàn	yú	hǒu	huī	fù
	逐	崩	颤	余	吼	恢	复
	zhǎng						
	涨						

	zào	jiá	zhàng	péng	zhē	áo	céng
14	皂	荚	帐	篷	遮	熬	曾

	bīn	zōng	xiáng	dù	cǎi	mò	xuān
15	滨	棕	翔	镀	睬	寞	喧
	yē	fèng	huáng	róng	shèn		
	椰	凤	凰	绒	甚		

	sòng	fǔ	shuān	bèn	shàng	qián	shéng
17	宋	府	拴	笨	尚	潜	绳
	bǎng	chǎn	bá	bǐng	chéng		
	绑	铲	拔	丙	程		

	jí	bì	shù	zhōng	sāi	pèi	chāo
18	即	避	竖	钟	塞	配	超
	zhàng	ài	mó	yíng			
	障	碍	摹	荧			

	xíng	cù	zuì	fàn	diàn	yàng	zhān
19	型	促	罪	犯	店	恙	粘
	qiǎn	tiáo	yán	zǔ	zōng	fèi	fù
	浅	调	炎	阻	踪	废	付
	huāng	wú	pó	bī	xìng	xuǎn	hàn
21	荒	芜	婆	逼	姓	选	旱
	chóu	tú	fán	guì	qú	guàn	gài
	绸	徒	烦	跪	渠	灌	溉
	xiá	dé	xiāng	li	bèi		
22	匣	德	箱	哩	倍		
	dì	cí	yuán	jìng	xié		
24	帝	辞	猿	径	斜		
	xì	fú	yàng	bǐng	wěi		
25	隙	拂	漾	柄	萎		

(共 200 字)